D0380272

ET TU N'ES PAS REVENU

Bibliographie

Ma vie balagan, Robert Laffont

Filmographie

La petite prairie aux bouleaux

Avec Joris Ivens

Une histoire de vent
L'usine des générateurs : Shangai
Une femme, une famille : Pékin
Une caserne : Nankin
Une répétition à l'opéra de Pékin
Le village de pêcheurs : Shantoung
Les Ouïgours – minorité nationale : Sinkiang
Les Kazaks – minorité nationale : Sinkian
Les Artisans
Le professeur Tsien : Pékin
La Pharmacie : Shangai
Impression d'une ville : Shangai
Entraînement au cirque de Pékin
Autour du pétrole : Taking
Une histoire de ballon
Le peuple et ses fusils
Rencontre avec le président Hô Chi Minh
17e Parallèle

Avec Jean-Pierre Sergent

Algérie, année zéro

MARCELINE LORIDAN-IVENS
avec Judith Perrignon

ET TU N'ES PAS REVENU

BERNARD GRASSET
PARIS

Photo de la bande : extrait du film *Chronique d'un été* de Jean Rouch © Argos Films.

ISBN : 978-2-246-85391-6

Tous droits de traduction, de reproduction et d'adaptation réservés pour tous pays.

© *Éditions Grasset & Fasquelle, 2015.*

J'ai été quelqu'un de gai, tu sais, malgré ce qui nous est arrivé. Gaie à notre façon, pour se venger d'être triste et rire quand même. Les gens aimaient ça de moi. Mais je change. Ce n'est pas de l'amertume, je ne suis pas amère. C'est comme si je n'étais déjà plus là. J'écoute la radio, les informations, je sais ce qui se passe et j'en ai peur souvent. Je n'y ai plus ma place. C'est peut-être l'acceptation de la disparition ou un problème de désir. Je ralentis.

Alors je pense à toi. Je revois ce mot que tu m'as fait passer là-bas, un bout de papier pas net, déchiré sur un côté, plutôt rectangulaire. Je vois ton écriture penchée du côté droit, et quatre ou cinq phrases que je ne me rappelle pas. Je suis sûre d'une ligne, la première, « Ma chère petite fille », de la dernière aussi, ta signature, « Shloïme ». Entre les deux, je ne sais plus. Je cherche et je ne me rappelle pas. Je cherche mais c'est comme un trou et je ne veux pas tomber. Alors je me replie sur d'autres questions : d'où te venaient ce papier et ce crayon ? Qu'avais-tu promis à l'homme qui avait porté ton message ? Ça peut paraître sans importance aujourd'hui, mais cette feuille pliée en quatre, ton écriture, les pas de l'homme de toi à moi, prouvaient alors que nous existions encore. Pourquoi est-ce que je ne m'en souviens pas ? Il m'en reste Shloïme et sa chère petite fille. Ils ont été déportés ensemble. Toi à Auschwitz, moi à Birkenau.

L'Histoire, désormais, les relie d'un simple tiret. Auschwitz-Birkenau. Certains disent simplement Auschwitz, plus grand camp d'extermination du Troisième Reich. Le temps efface ce qui nous séparait, il déforme tout. Auschwitz était adossé à une petite ville, Birkenau était dans la campagne. Il fallait sortir par la grande porte avec son commando de travail, pour apercevoir l'autre camp. Les hommes d'Auschwitz regardaient vers nous en se disant c'est là qu'ont disparu nos femmes, nos sœurs, nos filles, là que nous finirons dans les chambres à gaz. Et moi je regardais vers toi en me demandant, est-ce le camp ou est-ce la ville ? Est-il parti au gaz ? Est-il encore vivant ? Il y avait entre nous des champs, des blocs, des miradors, des barbelés, des crématoires, et par-dessus tout, l'insoutenable incertitude de ce que devenait l'autre. C'était comme des milliers de kilomètres. A peine trois, disent les livres.

Ils n'étaient pas nombreux les détenus qui pouvaient circuler de l'un à l'autre. Lui c'était l'électricien, il changeait les rares ampoules de nos blocs obscurs. Il est apparu un soir. Peut-être était-ce un dimanche après-midi. En tout cas, j'étais là quand il est passé, j'ai entendu mon nom, Rozenberg ! Il est entré, il a demandé Marceline. C'est moi, je lui ai répondu. Il m'a tendu le papier, en disant, « C'est un mot de ton père ».

Nous n'avions que quelques secondes, nous pouvions être tués pour ce simple échange. Et je n'avais rien pour te répondre, ni papier, ni crayon, les objets avaient déserté nos vies, ils formaient des montagnes dans des hangars où nous travaillions, les objets appartenaient aux morts, nous étions les esclaves, nous n'avions qu'une cuillère coincée dans une couture, une poche ou une bretelle et un lien autour de la taille, un bout de tissu arraché à nos habits ou une fine corde trouvée par terre, pour y accrocher notre gamelle. Alors j'ai sorti la pièce d'or que j'avais volée au triage des vêtements. Je l'avais trouvée dans un ourlet, dissimulée comme un trésor du pauvre, et je l'avais enveloppée dans un petit bout de tissu, je ne savais pas quoi en faire, où la cacher, ni comment l'échanger au marché noir du camp. Je l'ai tendue à l'électricien, je voulais qu'il te la donne, je me doutais qu'il la volerait, tout le monde volait au camp, dans le bloc on entendait toujours des cris, « on m'a volé mon pain ! », alors j'ai bafouillé dans un mélange de yiddish et d'allemand appris au camp, que s'il comptait la garder, qu'il t'en donne la moitié. L'as-tu reçue ? Je ne saurai jamais. Je l'ai lu tout de suite ton mot, j'en suis sûre. Je ne l'ai montré à personne mais j'ai dit autour de moi, Mon père m'a écrit.

D'autres mots de toi me hantaient alors. Ils recouvraient tout. Tu les avais prononcés à Drancy, nous ne savions pas encore où nous allions. Comme tous les autres, nous répétions, Nous allons à Pitchipoï, ce mot yiddish qui désigne une destination inconnue et sonne doux aux oreilles des enfants qui le répétaient pour parler des trains qui s'en allaient, Ils vont à Pitchipoï, disaient-ils, articulant pour se rassurer ce que les adultes leur avaient soufflé. Mais je n'étais plus une enfant. J'étais grande, comme on dit. Dans ma chambre au château, j'avais changé le décor, interrompu mes rêves, congédié mes jouets, dessiné des croix de Lorraine sur le mur et accroché au-dessus de mon bureau bleu ciel les portraits des généraux de la première guerre, Hoche, Foch, Joffre abandonnés dans le grenier par le précédent propriétaire. Tu te rappelles que la directrice de l'école d'Orange t'avait convoqué ? Elle avait trouvé mon journal intime noirci de rumeurs et de reproches contre la surveillante générale et certains professeurs, mais surtout véritable brûlot gaulliste. « Votre fille va passer en conseil de discipline, il vaut mieux que vous la retiriez de l'école », avait-elle dit pour nous protéger. Elle t'avait laissé mon journal. Tu l'avais lu probablement et tu y avais découvert que j'étais amoureuse d'un garçon, je le retrouvais dans le bus qui nous ramenait à Bollène après l'école, je lui donnais chaque semaine mes tickets de pain, en échange il faisait mes devoirs de maths. Il n'était pas juif. Tu ne m'avais plus parlé pendant deux mois ensuite. Nous avions atteint le moment de nous disputer, comme un père et sa fille de quinze ans.

Alors à Drancy, tu savais bien, que rien ne m'échappait de vos airs graves à vous les hommes, rassemblés dans la cour, unis par un murmure, un même pressentiment que les trains s'en allaient vers le grand Est et ces contrées que vous aviez fuies. Je te disais, « Nous travaillerons là-bas et nous nous retrouverons le dimanche ». Tu m'avais répondu : « Toi tu reviendras peut-être parce que tu es jeune, moi je ne reviendrai pas. » Cette prophétie s'est inscrite en moi aussi violemment et aussi définitivement que le matricule 78750 sur mon avant-bras gauche, quelques semaines plus tard.

Elle devint malgré moi une redoutable compagne. Je m'y accrochais parfois, j'aimais les premiers mots quand, une par une, disparaissaient mes amies, et celles qui ne l'étaient pas. Puis je la repoussais, je détestais ce « moi je ne reviendrai pas » qui te condamnait, nous séparait, semblait offrir ta vie en échange de la mienne. J'étais vivante encore et toi ?

Il y eut ce jour où nous nous sommes croisés. Mon commando était allé casser du caillou, tirer des wagonnets et creuser des tranchées sur la nouvelle route pour le crématoire numéro 5, nous avancions, comme toujours en rangs de cinq, nous revenions vers le camp, c'était un peu après six heures du soir. Sais-tu que ce moment n'appartient pas qu'à nous ? Qu'il figure dans les souvenirs et les livres de ceux qui en ont été les survivants ? Car tous les rêves de retrouvailles ont jailli dans le camp de la mort industrielle, tous les corps des nôtres encore debout ont frémi lorsque nous nous sommes vus, sommes sortis de nos rangs et avons couru l'un vers l'autre. Je suis tombée dans tes bras, tombée de tout mon être, ta prophétie était fausse, tu vivais. Ils auraient pu te juger inutile dès l'arrivée, tu avais un peu plus de quarante ans, une mauvaise hernie à l'aine qui t'obligeait à porter une ceinture, une longue cicatrice au pouce héritée d'une blessure à l'usine, mais tu étais encore assez fort pour être leur esclave, comme moi. Ton rôle était de vivre, pas de mourir, j'étais tellement heureuse de te voir ! Nous retrouvions nos sens, le toucher, le corps aimé, cet instant nous coûterait cher, mais il interrompait pour quelques précieuses secondes le scénario implacable écrit pour nous tous. Un SS m'a frappée, traitée de putain, car les femmes ne devaient pas communiquer avec les hommes. « C'est ma fille ! » tu criais, tout en me soutenant encore. Shloïme et sa chère petite fille. Nous étions vivants tous les deux. Ton raisonnement ne tenait plus, l'âge n'y faisait rien, aucune logique n'existait dans le camp, seule comptait leur obsession du nombre, on mourait tout de suite ou un peu plus tard, on n'en sortirait pas. J'ai juste eu le temps de te donner le nom de mon bloc, « Je suis au 27B ».

Je me suis évanouie sous les coups, et lorsque j'ai repris conscience, tu n'étais plus là, mais j'avais dans la main une tomate et un oignon que tu venais de me glisser en douce, ton déjeuner sûrement, je les ai cachés aussitôt. Comment était-ce possible ? Une tomate et un oignon. Ces deux légumes cachés contre moi rétablissaient tout, j'étais de nouveau l'enfant et toi le père, le protecteur, le nourricier, l'ombre de ce chef d'entreprise qui fabriquait des tricots dans son usine de Nancy, l'ombre de cet homme un peu fou qui acheta pour nous tous un petit château dans le Sud, à Bollène, et m'y conduisit un jour l'air mystérieux, dans une carriole à cheval, si heureux de sa surprise, que tu me demandas, « Qu'est-ce que tu souhaites le plus au monde, Marceline ? »

Le lendemain, nos commandos se sont encore croisés. Mais nous n'avons pas osé bouger. Je t'ai vu au loin. Tu étais donc là, si près de moi, maigre et flottant dans un costume rayé, mais encore magicien, homme à me faire écarquiller les yeux. Où t'étais-tu procuré l'oignon et la tomate qui avaient enchanté mon estomac et celui d'une amie ? Nous n'avions qu'une eau chaude et brune au lever dont je gardais une partie pour me laver un peu, une soupe le midi, une ration de pain le soir, avec une fois par semaine, soit la rondelle grise de faux saucisson, la cuillerée à café de confiture de betterave ou le morceau de margarine qui couvrait deux tartines. Où t'étais-tu procuré le papier pour m'écrire ? Nous n'avions rien pour nous essuyer aux latrines. Je déchirais petit bout par petit bout le caleçon d'homme taché qu'on m'avait jeté à la figure en arrivant, ravie de le raccourcir pour m'essuyer les fesses, il me faisait honte.

Je ne sais pas combien de temps sépare ces deux moments, ces deux signes, les derniers. Plusieurs mois, je crois. Peut-être moins. Tu avais retenu le numéro de mon bloc, le premier de la rangée la plus proche du crématoire, tu m'avais fait porter le message. Tu n'as pas signé Papa. Mais de ton prénom, et en yiddish, Shloïme qui était devenu Salomon en France. Tu étais de retour sur ta terre natale qui n'avait pas attendu les nazis pour pourchasser les juifs, tu avais sûrement besoin d'affirmer ton identité, ta judaïté, dans cet univers où nous n'étions plus que des « Stücke », des morceaux. Tu avais peut-être même retrouvé des parents, des cousins de Pologne dans le camp, eux t'appelaient comme ça, Shloïme. Aujourd'hui encore, quand j'entends dire Papa, je sursaute, même soixante-quinze ans après, même prononcé par quelqu'un que je ne connais pas. Ce mot est sorti de ma vie si tôt, qu'il me fait mal, je ne peux le dire que dans mon for intérieur, surtout pas l'articuler. Surtout pas l'écrire.

Tu as dû me supplier de vivre, de tenir dans ton message. Ce sont des mots communs, ceux que dicte l'instinct, les seuls qui restent aux hommes sensés qui n'entrevoient pas demain. Tu as dû conjuguer ces verbes à l'impératif. Mais je n'ai probablement pas cru à ce que tu m'écrivais. Pas autant qu'à une tomate ou à un oignon. Les mots nous avaient quittés. Nous avions faim. Le massacre était en cours. J'avais même oublié le visage de Maman. Alors peut-être que ton mot, c'était trop de chaleur tout d'un coup, trop d'amour, je l'ai englouti aussitôt lu, comme une machine qui a faim et soif. Et puis je l'ai effacé. Y penser trop, c'était laisser venir le manque, il rend vulnérable, il réveille les souvenirs, il affaiblit et il tue. Dans la vie, la vraie, on oublie aussi, on laisse glisser, on trie, on se fie aux sentiments. Là-bas, c'est le contraire, on perd d'abord les repères d'amour et de sensibilité. On gèle de l'intérieur pour ne pas mourir. Là-bas, tu sais bien, comme l'esprit se contracte, comme le futur dure cinq minutes, comme on perd conscience de soi-même.

Je ne t'appelais jamais au secours. Et quand je pensais à toi, je te voyais escorté par mon tout petit frère de quatre ans, je ne me rappelais plus son prénom, Michel. Il ne te quittait pas d'une semelle avant notre arrestation, où que tu ailles, il était dans tes bras, ou à tes pieds, sa main dans la tienne, comme s'il avait peur de te perdre. C'est peut-être un peu de moi que je cachais dans sa silhouette de tout-petit. C'était une autre façon d'appeler. J'étais ta chère petite fille. On l'est encore à quinze ans. On l'est à tous les âges. J'ai eu si peu de temps pour faire provision de toi.

Je les voyais les enfants, depuis mon bloc, qui allaient sur le chemin des chambres à gaz. Je me souviens d'une petite fille, accrochée à sa poupée. Elle avait le regard perdu.

Derrière elle, probablement des mois de terreur et de traque. On venait de la séparer de ses parents, on allait bientôt lui arracher ses vêtements. Elle ressemblait déjà à sa poupée inerte. Je la regardais. Je savais ce qu'il y a de chahut et d'angoisse dans la tête d'une petite fille, de déterminé au creux de sa main serrant sa poupée, ce n'était pas si loin, j'allais, moi, quelques années plus tôt avec une valise, un baigneur à l'intérieur, une boîte à mouches aussi.

Tu as dû me dire dans cette lettre que tu étais encore là, pas très loin. Et promettre que la fin de la guerre approchait, notre libération aussi. Quand était-ce, cette lettre ? L'été 44 ? Un peu plus tard ? Nous savions les débarquements et les batailles. Les nouvelles entraient dans le camp avec les derniers convois. Chaque fois, l'une d'entre nous tentait de se glisser dans le Lager A, parmi les nouvelles arrivées encore en quarantaine, en sursis, entre gaz et travail forcé. Nous y cherchions des visages familiers. Nous en revenions toujours avec des informations. C'est ainsi que nous avons appris que Paris avait été libéré, que les divisions du général Leclerc avaient défilé sur les Champs-Elysées et nous avions chanté doucement à capella la *Marseillaise* le lendemain en passant devant l'orchestre qui jouait matin et soir marches militaires et autres morceaux classiques pour le départ et le retour des commandos de travail. Mais ce n'était qu'un épisode, des nouvelles d'un monde dont nous n'étions déjà plus. Le gaz nous menaçait encore. Nous étions tout au bord. Nous ne vivions plus que le présent, les prochaines minutes. Plus rien ne pouvait nourrir l'espoir. Il était mort.

Les Hongrois étaient arrivés. Des centaines de milliers, huit à dix transports par jour, tu te souviens de ce flot de gens comme si des villes entières se déversaient dans le camp. Tout augmentait, le nombre et la cadence. Ils les ont déshabillés, les ont envoyés aux chambres à gaz, les enfants, les bébés et les vieillards en premier, comme d'habitude. Ceux dont la mort attendrait quelques jours étaient parqués dans une partie qui venait d'être construite, l'amorce d'un nouveau camp, tout près des crématoires, le Mexique nous l'appelions. Nous passions devant chaque jour en allant travailler. Nous allions au Canada, c'est comme ça que les Polonaises avaient baptisé le triage des vêtements, parce que c'était le moins dur des postes de travail, celui qu'on espérait toutes, celui où l'on pouvait tomber sur un vieux croûton de pain au fond d'une poche, ou sur une pièce d'or dans un ourlet. Des Françaises auraient dit le Pérou. Etrange cartographie du monde miniaturisé dans le camp en langue polonaise. Le Mexique, sans que je sache pourquoi, signifiait la mort prochaine.

Quand nous passions, certaines s'approchaient derrière les barbelés électrifiés, nous murmuraient des questions, elles n'avaient déjà plus leurs enfants, mais elles voulaient espérer encore. Nous leur demandions : Vous avez un numéro? Non, disaient-elles. Alors, nous levions les bras au ciel en signe de désespoir. Notre matricule était notre chance, notre victoire et notre honte. J'avais participé à la construction de la deuxième rampe du crématoire où venaient d'être poussés leurs enfants. J'allais maintenant trier leurs vêtements.

La mort recrachait tant d'habits, que j'avais été affectée en surnuméraire au Canada. Nous brassions les jupes, les dessous, les pantalons, les chemises, les chaussures de ceux qui étaient partis en fumée et dont l'odeur de chair brûlée planait sur le camp, pénétrait nos narines, nos os, nos pensées de jour comme de nuit, en nous promettant le même sort. Nous avions souvent entre les mains des habits misérables, des chaussures usées dans des valises de carton bouilli. Et ils disaient que les juifs étaient riches ! Les plus abîmés de ces vêtements finiraient sur nous, les plus beaux partiraient en Allemagne. Nous allions dans les haillons de nos morts, avec cette croix rouge dans le dos, que tu avais toi aussi. Je portais le gilet d'une morte, la jupe d'une autre morte, les souliers d'une autre encore. Mais il faut être dans la vraie vie pour que les objets et les vêtements vous rappellent quelqu'un. Là-bas, il y en avait trop, ils n'évoquaient plus personne, les nazis avaient changé ces vêtements en montagnes sur lesquelles ils circulaient à vélo, une cravache à la main et un chien qui aboyait devant eux.

Et je rêvais d'une robe rayée, comme les Aryennes, cette robe avait le mérite d'être d'un seul morceau, de couvrir le corps, de n'avoir appartenu à personne en dehors du camp, j'avais fini par lui trouver quelque chose, peut-être ce sentiment d'adaptation que procurent les uniformes, ils vous disent où vous êtes et ce que vous êtes, et qu'un jour peut-être vous pourrez les retirer.

Et je volais. Un pull une fois. Une cuillère pour une amie. Puis la pièce, trouvée dans un ourlet, sans savoir qu'elle serait pour toi. Je me rappelle le manque de poches, je n'avais pas su où la mettre. Je risquais gros si on me trouvait avec. A qui faire confiance ? La plupart des sous-chefs déportées étaient aryennes. Elles m'auraient dénoncée ou dépouillée. L'antisémitisme était terrifiant dans le camp, les Aryennes nous insultaient sans cesse, les Polonaises, les Ukrainiennes et les criminelles allemandes surtout. Et je savais que je ne pourrais pas la garder longtemps, chaque mois nous rendions tout à l'étuve pour éviter les poux et le typhus. On nous redonnait d'autres vêtements de morts, jamais à ma taille, toujours trop grands, trop longs pour moi, depuis les tout premiers, ceux de l'arrivée, que je n'oublierai jamais, une jupe qui arrivait jusque par terre, un petit gilet, un caleçon d'homme taché qui puait le désinfectant, une chaussure plate trop grande, une autre à talon et trop grande aussi. Je chausse encore du 33, je n'ai pas beaucoup grandi depuis la dernière fois que tu m'as vue.

Ta lettre est arrivée, je crois, alors que j'étais affectée aux pommes de terres. Nous avions quitté le Canada, certaines avaient été prises pour vol et envoyées au gaz, les autres ont été punies et affectées aux pommes de terre. Nous allions en file indienne, nous déchargions des wagons jusqu'à un entrepôt, à l'aide de trags, des caisses de bois sommaires, avec des poignées à l'avant et à l'arrière. Il y avait des nazis partout, pour qu'on n'en vole pas une seule. Et il y eut ce jour. La petite fille. Elle tenait l'avant du trag chargé de pommes de terre, moi l'arrière, elle était à bout de forces, elle tremblait, n'avançait plus, le SS allemand derrière moi me frappait dans la nuque pour que j'aille plus vite, je ne voulais pas, la petite devant moi n'arrivait plus à mettre un pied devant l'autre, j'ai dit que je pouvais prendre sa place, lui laisser l'arrière du trag, il m'a frappée plus fort, traitée de sale juive, frappée encore, alors j'ai avancé, la brouette a heurté le dos de la petite, chaque coup dans ma nuque m'obligeait à lui faire mal, elle est tombée, ne s'est pas relevée et le nazi l'a achevée d'un coup de crosse. Je dis la petite alors qu'elle n'était ni plus jeune, ni plus petite que moi, mais si fragile, plus maigre que moi, une enfant dans mon souvenir, je crois qu'elle était grecque et je l'ai tuée.

Nous avons été déplacées aux tranchées ensuite. Nous creusions à coups de pioche. Longtemps j'ai raconté que c'était près des cuisines, pendant cinquante ans je me suis enfermée dans ce mensonge aux autres et surtout à moi-même. C'est mon amie Frida qui m'a remis les souvenirs en place. « C'était près des cuisines », je lui disais. « Mais non tu exagères, c'était tout près des chambres à gaz. » Elle avait raison. Les crématoires tournaient à plein, ils débordaient tant que c'étaient des flammes et non de la fumée qui s'échappaient des cheminées, des flammes trop visibles qui fournissaient des signaux aux avions alliés qui commençaient leurs bombardements sur les usines d'armement toutes proches. Alors, ils ont changé leur méthode. Les corps gazés finissaient dans les tranchées que je creusais, arrosés d'essence, et réduits en cendres par un serpent de flammes, des flammes à ras de terre, invisibles pour l'ennemi.

Après les Hongrois, le ghetto de Lodz était arrivé. Je les ai vus emprunter la rampe vers les chambres à gaz. J'ai pensé qu'il y avait probablement parmi eux, mes oncles, mes tantes, mes cousins, mes grands-parents que je ne connaissais pas. Tu étais de Lodz. Et je continuais. Je frappais le sol sans regarder autour de moi, sans souvenirs, sans avenir, j'étais épuisée de ne plus boire, de ne pas manger, je creusais des tranchées où brûleraient les corps de cinquante lointains parents de Lodz, j'étais dans le présent, dans le prochain coup de pioche ou le prochain tri de Mengele, ce démon du camp, qui nous faisait déshabiller et décidait du moment où nous irions au gaz.

Ni moi ni les autres n'avons réagi quand les Sonderkommandos se sont révoltés. Les juives de l'usine d'armement leur avaient donné de la poudre, mais le mouvement de résistance interne, non juif, avait refusé de leur donner des armes, ils firent sauter le crématorium, exploser leur honte, chaque jour, ils ramassaient les corps gazés et les jetaient au feu. Ils s'enfuirent vers la forêt en coupant les barbelés, ils nous appelaient, nous imploraient de les suivre, nous les regardions sans force, incapables de leur emboîter le pas. Les bonnes nouvelles ne semblaient plus nous concerner, il était trop tard. Ils furent repris et liquidés.

Ta lettre aussi arrivait trop tard. Elle me parlait probablement d'espoir et d'amour mais il n'y avait plus d'humanité en moi, j'avais tué la petite fille, je creusais tout près des chambres à gaz, chacun de mes gestes contredisait et enterrait tes mots. J'étais au service de la mort. J'avais été son trag. Puis sa pioche. Tes mots ont glissé, s'en sont allés, même si j'ai dû les lire plusieurs fois. Ils me parlaient d'un monde qui n'était plus le mien. J'avais perdu tout repère. Il fallait que la mémoire se brise, sans cela je n'aurais pas pu vivre.

Maman n'est pas venue me chercher à Paris. Personne ne m'attendait. J'avais donné le numéro du château, le 58 à Bollène, je m'en souviens encore, et elle avait fini par répondre après plusieurs appels sans suite. Ils lui ont dit que j'étais revenue et ils me l'ont passée. J'ai tout de suite demandé si tu étais là. Elle n'a pas répondu, elle a juste articulé, « Rentre ». J'ai compris à l'hésitation de sa voix que tu n'étais pas revenu alors je lui ai dit que je ne voulais pas rentrer. Je ne me souviens pas de sa réaction. Ça n'avait pas d'importance. C'est toi que je voulais revoir. Et je serais bien restée là, au Lutetia, dans cet ancien hôtel luxueux du boulevard Raspail dont les Allemands avaient fait le quartier général de l'Abwehr, et que la Libération avait changé en centre d'acceuil des déportés. C'était comme un sas. Nous dormions dans des chambres de deux ou trois, toutes par terre, au pied des lits vides couverts de draps blancs, incapables de supporter l'accueil d'un matelas. Et nous ne pensions qu'à manger. Notre dos était encore là-bas sur les planches de la coya, notre estomac ici, nous étions démembrées, contradictoires. Nous étions des miracles.

A tous ceux qui dans le hall consultaient les listes, ou sur les trottoirs brandissaient des pancartes et des photos à la recherche de leurs disparus, je répétais, « Tout le monde est mort ». S'ils insistaient, me montraient des photos d'une famille, je disais calmement : « Il y avait des enfants ? Pas un enfant ne reviendra. » Je ne prenais pas de gants, je ne les ménageais pas, j'avais l'habitude de la mort. J'étais devenue dure comme ces anciens déportés qui nous virent arriver à Birkenau sans un mot de réconfort. Survivre vous rend insupportables les larmes des autres. On pourrait s'y noyer.

Ces gens restaient pourtant et s'agitaient dès qu'un nouveau bus apparaissait chargé de revenants. Au Lutetia, l'attente semblait encore permise. J'y avais bien retrouvé l'homme qui était à l'isolement dans la cellule à côté de la mienne à la prison Sainte-Anne d'Avignon, notre première étape vers les camps. Il avait pourtant été condamné à mort. Je n'avais jamais vu son visage, nous ne pouvions pas nous reconnaître, mais dans le hall du Lutetia, il me cherchait. Tout le monde cherchait tout le monde, pas forcément un parent, ce pouvait être une amitié nouée sur la route ou dans l'enfer d'un baraquement. Lui cherchait Marceline. Je t'avais dit, je crois, comment je communiquais en frappant contre le mur de ma cellule. J'utilisais l'ordre de l'alphabet puisque je ne connaissais pas le morse, le A c'était un coup, le B deux et ainsi de suite. Je lui avais épelé mon prénom de cette façon. Marceline, c'est 80 coups. C'est long, ça crée des liens. « Ils m'ont pas tué, ils m'ont déporté à Buchenwald », a-t-il dit lorsque nous nous sommes retrouvés.

Et je serais bien restée là, à me laisser porter par son histoire, par les autres, à fuir mon pressentiment, ta prophétie, à tenter de te croire encore égaré en Russie ou ailleurs. Loin de la vie, qui de l'autre côté de la rue ne demandait qu'à reprendre, pleine de silences, d'absents, de faux-semblants. La vie où tu n'étais pas.

Mais l'hôtel ne pouvait pas me garder. On m'a mise dans un train en direction du sud avec ma carte de rapatriée. Je n'avais pas envie, si tu savais. Il n'y avait de retrouvailles possibles qu'avec toi. De partage et de récit possibles qu'avec toi. Je rentrais à la maison, le corps remplumé, ils ne m'ont jamais vue maigre, les cheveux en pleine repousse, debout dans un wagon bondé, chanceuse disaient certains puisque j'avais encore une famille. Mais j'étais ailleurs. Agrippée à toi, c'est-à-dire au néant. Dix-huit heures plus tard, le train entrait en gare de Bollène. Maman ne m'attendait pas sur le quai.

L'oncle Charles était là. Il me raconterait plus tard son chemin, comment d'Auschwitz, ils l'avaient envoyé à Varsovie déblayer les restes du ghetto dont la révolte venait d'être écrasée, comment il s'était enfui, caché dans une charrette pleine de gravats, avait rejoint les partisans polonais, combattu avec eux, tout en cachant son numéro, convaincu qu'ils ne voudraient pas d'un juif parmi eux. En pleine débâcle allemande, il avait pris un bateau à Odessa, débarqué avec d'autres en avril à Marseille, mais lorsqu'ils avaient raconté d'où ils arrivaient, on avait voulu les interner avec les fous. Il en avait conclu qu'il valait mieux se taire. Ce jour-là, sur le quai, il m'a juste dit, en me montrant discrètement son matricule : « J'étais à Auschwitz. Ne leur raconte pas, ils ne comprennent rien. »

Michel était avec lui. Il avait grandi, il avait huit ans. Je me suis agenouillée devant lui et je lui ai demandé : « Tu me reconnais ? » Il a répondu non, et après quelques instants, il a dit : « Je crois que tu es Marceline. » Il avait l'air d'un enfant abandonné. C'est toi qu'il attendait.

En silence, nous nous sommes mis en route. Une fois que nous avons franchi le pont enjambant le Lez, j'ai vu le château de Gourdon se découper sur la colline. J'ai eu envie de faire marche arrière. Je n'ai jamais compris cet endroit. Je me rappelle la première fois où tu m'y as conduite dans une voiture à cheval, tu étais tellement enthousiaste, tu demandais : « Qu'est-ce que tu souhaites le plus au monde, Marceline ? » comme si tu étais sur le point de l'exaucer. Ce que je souhaitais ? La fin de la guerre, que nous soyons ensemble, plus séparés, cachés, je ne souhaitais rien d'autre. Mais tu insistais, tu disais d'une voix pleine de mystère, « là où je t'emmène… ». Tu aurais voulu m'entendre m'exclamer que j'avais toujours rêvé d'une maison comme celle-là. Je ne l'avais pas dit. Je n'avais pas encore l'âge de poser des questions mais je ne comprenais pas ton excitation. La guerre était là, nous vivions séparés, cachés, Pétain avait les pleins pouvoirs, il nous faisait chanter à l'école des chansons que je connais encore par cœur, et tu venais d'acheter un château. Pensais-tu qu'en devenant châtelains, nous n'étions plus juifs à leurs yeux ?

Tu savais pourtant, tu dévorais les journaux. Mais tu voulais croire en ce pays où tu t'étais posé, tu faisais semblant d'oublier que ce château n'était pas à ton nom, pour la simple raison que tu étais juif étranger et que tu n'avais pas le droit de posséder des terres, c'est Henri, ton fils aîné, devenu français à dix-huit ans et fraîchement démobilisé d'une guerre perdue, qui avait signé l'acte de vente. Mais tu proclamais, « C'est déjà la liberté ici », comme pour justifier de ne pas être allé jusqu'au bout, le plus loin possible des pogroms de Pologne. Tu avais pris le chemin de l'Amérique mais tu t'étais arrêté là, en France, peut-être à cause de Zola et son *J'accuse*, de Balzac que tu avais lu en yiddish, tu t'es sûrement dit qu'ici il ne pouvait rien nous arriver. Comme tu étais naïf. Peut-être même qu'en achetant le château et ses vignes tout autour, tu avais cru un peu au maréchal Pétain qui prônait le retour à la terre. Trop cru à la zone dite libre. Au maire et au commissaire du village qui t'avaient promis qu'ils nous préviendraient. Nous étions juifs et nous habitions la plus visible des demeures.

Ce château n'était pas pour toi, pas pour nous. Et nous y avons passé une nuit de trop. Ce soir-là, nous avions prévenu bien des gens de ne pas rester chez eux, et va savoir pourquoi nous avons repoussé notre fuite au lendemain matin. Une nuit encore. Dans ce château de trop. Tu as vu comme ils nous l'ont tout de suite repris ? Ils y ont regroupé tous les gens qu'ils venaient d'arrêter, nous ne les connaissions pas, peut-être des résistants ou des personnes soupçonnées de les aider, ils arrivaient par grappes, tu étais encore sonné par le violent coup de crosse que tu avais reçu sur le crâne, je préparais maladroitement les valises tandis qu'un Allemand disait « Prenez des pulls, il fait froid là où vous allez ». Ils confisquaient la maison sous nos yeux, y compris ceux de Maman et d'Henriette cachées plus loin dans les broussailles, nous n'étions plus chez nous, nous ne l'avions jamais été. Ou à peine deux ans. Ensuite les Allemands y ont pris leurs quartiers.

Nous sommes arrivés presque en silence avec Michel et l'oncle Charles. Maman était dans la cour. Elle m'a prise dans ses bras. « Je ne peux pas rester ici », ai-je dit tout de suite. J'ai ajouté que tu ne reviendrais pas. Ta prophétie me brûlait la gorge. « Repose-toi vingt-quatre heures, on verra bien ensuite », a-t-elle répondu. Ça n'avait pas de sens. Elle voulait gagner du temps. Elle ne savait pas quoi dire.

Elle était de ces gens généreux mais brusques, dénués de psychologie, qui bloquent leurs émotions et les changent en rire ou en colère. Tu sais bien comme elle s'emportait et débordait vite, comme elle criait et nous pinçait fort. Elle avait toujours eu des attentions pour ses fils qu'elle n'avait pas pour ses filles, qui n'étaient qu'un prolongement d'elle-même. Elle t'avait laissé être pour nous, et la tendresse et l'autorité. Elle n'avait pas le cœur sec. Je ne lui en ai pas voulu de son absence au Lutetia, comme sur le quai de la gare. Elle n'a pas compris ou pas voulu comprendre, d'où je revenais. Il lui aurait fallu trouver des mots et des gestes qu'elle ne maîtrisait pas.

Un an déjà qu'ils étaient libérés quand je suis arrivée. Maman était souvent absente, elle tentait de récupérer son magasin à Epinal et tout ce qui nous avait été volé, pour gagner un peu d'argent. Henri était à Paris sur le point de se marier, encore grisé par ses mois passés au sein des Forces Françaises Libres, porté par cet après-guerre amnésique et antisémite qui se racontait une France héroïque et frappait de déni chacun de mes souvenirs. Jacqueline était en pension à Orange, Michel chez Henriette, je les retrouvais le week-end. Ils avaient l'imagination des plus jeunes, ils disaient qu'un jour tu arriverais à l'improviste, qu'en ce moment tu étais malade et égaré, loin très loin, incapable de donner ton nom et ton adresse. Michel souvent voulait aller à la gare, te guetter sur le quai. Etrangement parfois, je basculais de leur côté, j'épousais leurs illusions, leurs chimères, pas longtemps, quelques heures, pour retomber en enfance. Parfois Jacqueline venait dans ma chambre, elle avait treize ans, elle me posait des questions sur ce qui m'était arrivé, elle était la seule, je lui parlais, mais je ne sais plus ce que je lui disais, si je la protégeais. J'avais commencé à écrire aussi, mais j'ai toujours tout déchiré. Personne ne voulait de mes souvenirs. Nous n'avions pas les mêmes, nous aurions dû les additionner, mais ils nous ont éloignés.

Et j'errais seule dans le château pendant la semaine. La nuit, je faisais d'horribles cauchemars. Le jour, je ne sortais pas, j'avais peur de franchir le pont, d'aller me frotter à ceux du village, je déambulais hagarde dans cette maison trop grande, ses deux étages, ses vingt pièces, sa tour, ses vastes vignes tout autour. Tout me revenait, même les mauvaises blagues d'Henri au sujet de mes cheveux crépus, « Marceline, faut la prendre, la mettre au bout du balai pour enlever les toiles d'araignées ! », parce que ensuite tu le sermonnais et tu me protégeais. Je ne fuyais pas les fantômes, au contraire, je courais après eux, après toi. Avec qui d'autre partager ? Je leur ai parlé à tous de ta lettre, ils auraient aimé l'entendre, mais je n'ai pu leur en transmettre un seul mot, alors ils ont fini par l'oublier. Il m'en restait à moi cette sensation miraculeuse là-bas, d'un message entre mes doigts, *Ma chère petite fille.* Mais ici, plus rien n'avait de sens, ni ce château, ni mon retour, nous semblions lui et moi promis au même abandon, à la malédiction et à la poussière.

J'étais trop jeune alors pour deviner ce que ce château racontait de toi. C'est bien plus tard que j'ai compris, tu avais trouvé là un domaine à la mesure de l'homme que tu rêvais de devenir. Il faut vieillir pour accéder aux pensées de ses parents. Je sais que jeune homme en Pologne, à l'insu de ton père austère et très pieux, tu aimais poser un haut-de-forme anglais sur ta tête et empoigner une canne, tu avais fui les carcans, les mariages arrangés, épousé Maman parce que tu l'aimais, tu te voulais homme de ton siècle. Alors tu avais eu le coup de foudre pour ce château avec sa tour, il serait le symbole de ta liberté, de ta réussite. C'est ton rêve, pas le mien, que tu creusais ce jour où tu m'y as emmenée pour la première fois. « Qu'est-ce que tu souhaites le plus au monde, Marceline ? » Personne ne m'a plus jamais posé la question ensuite.

Ce que j'aurais voulu à mon retour, c'est qu'on me traite comme les orphelines. Elles étaient en sanatorium, elles étaient ensemble encore et je pensais à elles. A mes copines, à celles qui étaient mortes comme à celles qui étaient revenues, nous étions une bande, unies face à la souffrance, jamais je ne me suis sentie autant aimée que là-bas. Je sais maintenant qu'elles étaient ma famille, plus que ma famille. « Dis que je suis ta sœur », m'avait soufflé Françoise au camp, quand une coursière des SS avait demandé mon matricule. Sans doute voulait-elle faire quelque chose pour moi, en tout cas c'est ce que j'ai pensé et Françoise aussi, on demande ton numéro, c'est peut-être bon signe, « Dis que je suis ta sœur », murmurait-elle. Nous étions amies depuis Drancy. A notre arrivée au camp, elle m'avait forcée à marcher alors que je voulais monter dans un camion qui m'aurait menée droit à la chambre à gaz, plus tard alors que j'étais tombée très malade, et que j'évitais l'infirmerie, elle avait échangé mon pain contre de l'aspirine, elle aurait pu le manger. Mais je n'ai pas dit qu'elle était ma sœur. J'étais seule, je n'étais responsable que de moi, ma seule famille alors, c'était toi. J'ai toujours pensé que c'était ma faute s'ils l'ont envoyée au gaz. Françoise et ses beaux yeux bleus m'ont poursuivie longtemps, comme un reproche, une sœur d'infortune.

Alors, j'aurais été bien sur le lit d'un sanatorium, avec les autres, à leur parler de Françoise et de mon égoïsme, à les écouter me dire que je n'y étais pour rien, que nous étions innocentes, à regarder pousser nos cheveux, à écouler les souvenirs avec celles qui pouvaient les entendre et les comprendre. Nous allions repartir dans la vie, faire des choix différents, le camp n'avait pas tout effacé de nos origines et nos tempéraments, mais j'aurais été bien là, un moment, loin du château, de ma mère, du monde qui prend de si haut le sort des jeunes filles.

Très vite, Maman m'a demandé à voix basse si j'avais été violée. Etais-je encore pure ? Bonne à marier ? C'était ça sa question. Cette fois je lui en ai voulu. Elle n'avait rien compris. Nous n'étions plus des femmes, plus des hommes, là-bas. Nous étions la sale race juive, des Stücke, des bêtes puantes. Ils ne nous mettaient nues que pour déterminer le moment de notre mise à mort.

Mais cette folie des juifs après guerre de reconstruire à tout prix, c'était intense, violent, si tu savais. Ils voulaient que la vie reprenne son cours, ses cycles, ils allaient si vite. Ils voulaient des noces, même avec des absents sur la photo, des noces, des couples, des chants et bientôt des enfants pour combler le vide. J'avais dix-sept ans, personne n'a songé à me renvoyer en classe et je n'ai pas eu la force de le demander. J'étais une fille, bientôt ils me marieraient.

Si tu avais été là, tu n'aurais pas supporté ses questions et tu aurais demandé à Maman de se taire. Tu lui aurais dit aussi de me laisser dormir par terre. Elle ne voulait pas comprendre que je ne supporte plus le confort d'un lit. Il faut oublier, elle disait. Peut-être que toi aussi, tu aurais eu du mal à t'allonger auprès d'elle. Tu aurais cherché le sommeil sur le plancher, comme moi, tu aurais fui les cauchemars qui nous rattrapent et nous punissent quand les draps sont trop doux. Je me dis même parfois que tu m'aurais réinscrite à l'école, ça m'a tellement manqué ensuite, tu m'aurais comprise mieux que quiconque et m'aurais tout pardonné. Je rêve sans doute.

Mais nous aurions été deux à savoir. Nous n'en aurions peut-être pas parlé souvent, mais les relents, les images, les odeurs et la violence des émotions nous auraient traversés comme des ondes, même en silence, et nous aurions pu diviser le souvenir par deux.

Le document officiel est arrivé au château le 12 février 1948. *Le ministre des Anciens Combattants et Victimes de guerre décide de la disparition de Rozenberg Szlhama, Froim né le 7 mars 1901 à Slupia Nowa en Pologne.*

Le ministre pourrait se contenter de constater que tu n'es plus là, mais il le décide. Lapsus administratif d'un pays qui décide de ta disparition comme s'il l'avait organisée.

Je l'ai encore ce papier, avec ses mots suspendus en haut de la page, « République Française », « Acte de disparition », puis cette phrase qui se poursuit : *Le ministre décide de la disparition de Rozenberg Szlhama, Froim dans les conditions indiquées ci-après : Arrêté en mars 1944 à Bollène. Interné à Avignon, Marseille, puis Drancy. Déporté à Auschwitz par le convoi parti de Drancy le 13 avril 1944. Transféré à Mauthausen et Gross-Rosen.* J'y lis notre arrestation, le coup de crosse du milicien français sur ta tête lorqu'il a stoppé notre fuite au fond du jardin. J'y vois nos prisons, ces uniformes français qui nous gardaient à Drancy. J'y reconnais notre transport, convoi 71. Puis ta prophétie qui se réalise. Nos chemins qui s'écartent tandis que la guerre se termine.

Au mois de novembre 1944, tu étais encore à Auschwitz, moi à Birkenau, mais plus pour longtemps. J'ai tourné au bout du bâton de Mengele, comme à l'arrivée, la sélection, encore. J'ai cru mon heure venue, mon ventre saignait à l'intérieur, ma hernie ombilicale, celle pour laquelle on m'avait opérée, tu te souviens ?, elle s'était rouverte, Mengele ne pouvait pas la voir, mais lorsqu'il m'a indiqué une file, j'ai pensé que c'était celle qui partait pour la chambre à gaz. Je me suis pourtant retrouvée avec d'autres dans un wagon de marchandises. Je quittais Birkenau. Je m'éloignais de toi. Je ne savais même pas dans quel sens le train s'en allait. Au bout de deux à trois jours, il a fini par s'arrêter au milieu du nulle part, il faisait très froid, nous avons marché une dizaine de kilomètres encore par la forêt, la mer n'était pas loin, nous le sentions à travers les arbres et nous sommes finalement arrivées au camp de Bergen-Belsen. Là, nos yeux et nos narines l'ont compris avant même qu'on nous le dise : il n'y avait pas de chambre à gaz.

Plus de gaz. Plus cette gueule ouverte où l'on pouvait nous jeter d'une minute à l'autre, nous filles de Birkenau rescapées du plus grand centre d'extermination. Plus la cheminée. Le crématoire. L'odeur des corps qui brûlent. C'est pour cela que je chantais tout en grelottant sous nos tentes posées sur la neige. Rien d'autre que la barbarie ordinaire, la faim, les coups, la maladie, le froid. Même les ordres étaient plus souples. Nous avions des corvées, mais les commandos de travail avaient disparu, comme l'appel pendant des heures dans l'air glacé. Ils nous avaient regroupées entre Françaises, dans mon bloc nous avions choisi une chef qui parlait allemand, elle s'appelait Anne-Lise Stern, elle avait grandi en Allemagne, son père était un disciple de Freud, sa mère socialiste, ils avaient fui vers la France, où le nazisme les avait rattrapés. Anne-Lise faisait en sorte d'obéir et de nous protéger en même temps. L'humanité semblait poindre à nouveau. Ce n'était pas encore de l'espoir. Nous avions l'assurance d'échapper au gaz, pas à la mort.

Deux mois plus tard, en février, nous avons vu arriver les visages harassés des marches de la mort en provenance de Birkenau. J'ai reconnu parmi eux mon amie Simone, sa sœur, leur mère, que j'appelais Madame Jacob, elle est morte du typhus quelques jours plus tard, sur le sol gelé du camp. Elles avaient tant marché. Elles nous ont raconté qu'ils avaient vidé Auschwitz et Birkenau avant que les Russes n'arrivent, poussé sur les routes du bout de leur fusil ceux qui tenaient encore debout. Dont toi probablement. Mais tu marchais dans une tout autre direction que la mienne. Tu t'en allais vers le sud. J'étais au nord. Je me roulais nue dans la neige pour tuer les poux et me réchauffer. Nous n'avions plus rien à manger, la famine et les épidémies se chargeaient du travail d'extermination. Les pires bourreaux de Birkenau étaient arrivés eux aussi, ils avaient remis leurs sales méthodes en vigueur, ils nous comptaient et nous recomptaient, leur obsession du chiffre encore, tuer du juif même dans la débâcle, voilà ce qui les poussait à vous faire crever sur les routes, plutôt que de vous abandonner dans les camps, là où les Alliés auraient pu te sauver.

Je t'imagine silhouette d'une colonne d'hommes décharnés et chancelants poussés à bout par des SS. Auschwitz. Mauthausen. Puis Gross-Rosen, dit l'acte de ta disparition. Quel chemin tu as parcouru ! Des centaines de kilomètres vers le sud, puis brutalement demi-tour dans le Reich encerclé, remontée au nord, plus au nord encore qu'Auschwitz. Ça veut dire que tu as tenu, que tu as marché sans tomber, sans leur laisser l'occasion de t'abattre en route. Qu'il te restait des forces en quittant Auschwitz. Que tu aurais pu survivre.

Où es-tu tandis que je repars ? La violence se déchaîne à Bergen-Belsen. Mais je suis de nouveau mise dans un train avec mon groupe de Françaises. Nous partons pour une usine d'avions Junker, à Raguhn près de Leipzig. Nous partons travailler pour l'industrie d'une guerre perdue. Mon chemin est comme un decrescendo de l'horreur, Birkenau-Bergen-Belsen-Raguhn, camp d'extermination-camp de concentration-usine. Il suit la promesse que tu m'avais faite, « Tu es jeune, Marceline, tu t'en sortiras ». Mais où es-tu ? Nous sommes en février 1945. C'est à ce moment-là, d'après les livres d'histoire, que l'armée soviétique libère le camp de Gross-Rosen. Et c'est là, d'après l'acte de disparition, qu'on trouve la dernière trace de toi. As-tu été liquidé et jeté dans des fosses communes par les Allemands aux abois ? Peut-être pas. Maman disait tenir de quelqu'un qui t'avait vu à Auschwitz, que tu avais quitté le camp avec la marche de la mort au mois de janvier 1945, qu'on t'avait vu à Dachau ensuite, que tu aurais dû y rester, mais que tu t'étais remis en marche pour soutenir un homme qui ne pouvait plus avancer sans toi et que les Allemands auraient abattu. D'après Maman, tu n'avais pas été désigné pour marcher encore, tu t'étais sacrifié. Je n'y croyais pas à son histoire. Au camp, on ne choisissait rien, pas même sa façon de mourir. Mais Dachau c'est possible, j'ai lu que bien des détenus de Gross-Rosen ont été transférés là-bas. Qu'importe que ce ne soit pas écrit. On ne peut plus faire d'inventaire dans le fracas de l'après-guerre. L'administration française a peut-être délivré ces certificats en vrac, inscrivant en face des noms, des lieux et des dates probables, pas forcément vérifiés. Je ne crois à rien de l'histoire officiellement écrite par la France.

Quelle importance aujourd'hui que tu meures en février ou en avril ? Pourquoi vouloir étirer ton supplice ? Je ne sais pas. C'est comme si je luttais encore contre ta prophétie. Ma vie contre la tienne.

Je voudrais que tu ne sois pas mort, en ce mois de février. Moi, je ne porte plus les habits des morts. A Raguhn, on m'a tendu une robe rayée, comme celle dont je rêvais tant à Birkenau. Il y a toujours la croix rouge dans mon dos, l'étoile jaune sur ma poitrine, mais je ne les vois même plus, j'ai la robe que je voulais, et il y a même des gardiennes paysannes qui nous fournissent du fil et une aiguille pour la mettre à notre taille. Elles nous donnent aussi à chacune un pain entier. Nous le dévorons d'un coup, c'est pourtant la ration d'une semaine. Devant la chaîne, je découpe des pièces de moteur sur des moules. Je suis toute petite, ils mettent un banc sous mes pieds, mais la chaîne semble vouloir m'avaler, elle m'emporte un jour et me blesse, des mains me rattrapent, les mains du destin. Je m'en sortirai. Il y a dans l'usine un mélange de juifs et de travailleurs civils allemands. Je me souviens d'une fois où l'un d'eux m'a fait signe qu'il laissait quelque chose pour moi dans le tiroir. C'était un cornet plein d'épluchures de pommes de terre cuites.

Ai-je repris espoir ? En tout cas, j'ose me cacher lorsqu'il faut repartir encore, prendre un train à Leipzig pour je ne sais quelle destination. Les Américains ne sont plus qu'à dix-huit kilomètres, nous le savons. Renée et moi nous cachons dans un cercueil du camp de détention, un cercueil alors que nous envisageons pour la première fois depuis longtemps de survivre ! Mais ils comptent encore à la gare de Leipzig, il en manque deux, ils reviennent, nous cherchent, nous trouvent, nous jettent dans un camion. Il y a le feu partout, les bombardements alliés sont incessants, l'Allemagne est en cendres. Et je pense à Mala qui nous disait de tenir et de vivre.

Elle fut notre héroïne à Birkenau. Elle était juive de Belgique, elle parlait de nombreuses langues, elle avait à ce titre eu le droit de circuler et en profitait pour aider tant qu'elle pouvait. Un jour, elle s'est échappée avec son amant, un Polonais résistant déporté, tous deux déguisés en SS dans une voiture. Tu as forcément entendu cette histoire. Car il en manquait deux à l'heure de l'appel. Tu sais comme la machine nazie enrage d'en avoir perdu deux, même si nous sommes dejà 50 000 ou 100 000 – comment savoir ? – derrière leurs barbelés. Probable que comme nous, vous avez été maintenus des heures debout en rang, ils comptaient et recomptaient, je me demande si ce n'est pas cette fois-là qu'ils nous ont laissées à genoux dehors toute la nuit luttant de nos dernières forces contre la tentation de se laisser tomber et donc de mourir. Mala a été rattrapée trois semaines plus tard à la frontière tchèque, dénoncée par des paysans polonais. Son amant s'est rendu, il ne voulait pas qu'elle pense qu'il avait parlé. Il a été pendu tout de suite. Elle a été mise des semaines au bunker, dans l'une de ces cellules où l'on rentre en rampant et l'on ne peut même pas s'asseoir. Et puis un jour, ils ont ordonné que les Aryennes soient bouclées dans leurs baraquements et les juives rassemblées sur la place du Lager B. Nous étions des milliers en rang par cinq, moi devant comme d'habitude, je suis si petite. La potence était dressée, avec son nœud coulant, juste devant se tenaient les chefs SS du camp. Elle est arrivée debout dans une charrette tirée par des déportées, elle était vêtue de noir, les mains ficelées dans le dos, la mise en scène était totale. Le commandant SS Kramer hurlait qu'aucune de nous ne sortirait de là vivante, nous n'étions que de la vermine, des sales juives. Et tandis qu'il hurlait, je voyais quelque chose couler le long d'elle, son sang ! Quelqu'un lui avait manifestement fourni une lame, elle avait coupé ses cordes, puis ses veines, elle choisissait sa façon de mourir. J'étais fascinée par ce sang qui s'échappait et leur échappait tandis que Kramer hurlait sa toute-puissance. Soudain, l'un des officiers SS a vu, il l'a attrapée par le bras, mais elle était détachée, alors elle l'a giflé, il est tombé, et profitant des quelques secondes que lui offrait le désordre, elle s'est mise à parler en français, « Assassins, vous aurez à payer bientôt », puis à nous toutes, « N'ayez pas peur, l'issue est proche ; je sais que j'ai été libre, ne renoncez pas, n'oubliez jamais. » Ils l'ont remise à toute vitesse dans la charrette, ont ordonné qu'on soit enfermées dans nos blocs. *Blocksperre !* Bien des versions ont couru ensuite sur la façon dont ils l'ont finalement tuée, ils l'auraient pendue ailleurs, ou bien jetée vivante dans le crématoire. Longtemps nous avons parlé d'elle. Mais nous n'avions pas cru à ses promesses.

Dans ce camion qui nous mène à Leipzig, je la crois enfin. Arrivés à la gare, ils nous jettent dans le wagon des typhiques, comme ils nous auraient jetées dans la chambre à gaz si nous étions encore à Birkenau. Commencent alors dix jours étranges dans nos wagons fermés. Nous ne voyons pas la garde allemande qui s'effiloche, nous ne faisons que compter les cadavres qui s'empilent, nous sommes cent vingt, la maladie galope, la part des mortes augmente très vite, nous empilons leurs corps contre la porte, je vis et je respire tout contre eux. Et toi de quel côté es-tu ? De celui des morts ou de celui des survivants ? Dans le wagon, c'est la seule ligne de démarcation qui compte tandis qu'au-dessus de nous les bombardements font rage. Un jour, alors que le train se traîne, que les jours n'en finissent pas, je sens un morceau de pain dans une poche. Il m'a fallu du temps pour le prendre, j'avais fouillé les poches des morts au Canada, mais leurs corps n'y étaient plus. Finalement j'ai volé la morte et j'ai partagé avec Renée. Parfois le train s'arrête, ils ouvrent les portes, nous réclamons un peu de l'eau qui refroidit le moteur de la locomotive, je cherche les pissenlits, seule herbe comestible que je connaisse. Lorsque nous nous sommes arrêtés pour de bon, il n'y avait plus un seul Allemand dans le train, juste nous et le conducteur. Nous sommes arrivés dans le ghetto de Theresienstadt en Tchécoslovaquie. Ses derniers habitants ouvrent les portes des wagons, ils voient rouler des cadavres, puis nous, bêtes affamées, yeux trop grands dans nos visages émaciés, ils comprennent ce que sont devenus ceux qui sont partis et ce qui les attendait. Ils courent nous chercher à manger. Alors, tels des animaux, les filles des wagons se battent pour la nourriture. Moi je regarde la scène, je ne me bats pas. Ça ne veut pas dire que j'étais mieux que les autres. Ça m'est peut-être arrivé d'être comme ça et j'ai préféré l'oublier aussi. Je ne suis pas un ange.

Je sors vivante d'un fourgon plein de cadavres. « Tu reviendras, Marceline, parce que tu es jeune », disais-tu. Et toi, respires-tu encore en ce mois d'avril 1945 ? Le typhus emporte Renée. Moi j'ai la gale et le ventre qui saigne. Enfin les Russes libèrent le ghetto. Ils décrètent aussitôt la mise en quarantaine à cause de la maladie. Je fuis, car une autre guerre s'installe que tu ne connaîtras pas, que nous pressentons déjà, le monde se divise en deux blocs, il y aura bientôt l'Est sous le joug soviétique et l'Ouest sous tutelle américaine. Je marche vers Prague avec d'autres, c'est à soixante kilomètres. Là, un homme me bande le ventre, je bifurque vers la zone américaine, nous marchons sans savoir où nous allons, sans savoir depuis combien de jours nous marchons, sans comprendre ni réaliser ce que nous avons vécu, nous traînons les pieds, nous savons que les nazis ont perdu, mais c'est trop tard, beaucoup trop tard pour se réjouir, les souffrances ont été trop grandes, il ne nous reste que le sentiment de l'horreur et de la perte. Où es-tu ? Je ne pense qu'à toi. Mais je ne te cherche pas parmi les autres. Nous ne nous retrouverons pas comme ça.

Nous avons fini par atterrir au camp de rapatriement de Pilsen. Là, un employé dit : « Nous ne rapatrions pas les juifs, juste les prisonniers de guerre. » Des prisonniers nous ont défendues, ils ont refusé de partir sans nous. La première fois qu'on m'a demandé notre adresse, j'étais arrivée en Sarre, on m'a tendu une jupe, une culotte et une carte de déportée. Et c'est la première fois que j'ai donné le numéro du château, le 58 à Bollène.

Tu étais mort déjà. Je t'imagine semblable à tous les cadavres qui jonchaient le chemin de mon retour. Je t'imagine bras écartés, yeux grands ouverts. Un corps qui a vu mourir et s'est vu mourir. Et que l'on ne nous rendra pas.

Lorsque l'acte de ta disparition est arrivé, trois ans plus tard, nous t'espérions toujours mais sans réellement t'attendre. Michel ne réclamait plus d'aller à la gare. Henri avait épousé Marie. C'était un grand mariage. Comme mes sœurs, j'avais enfilé une robe bleue. Nous étions montés à Paris, nous logions à l'hôtel Terminus près de la gare de l'Est. Tu aurais aimé ce mariage juif, tu aurais été fier de ton fils aîné, héros des Forces Françaises Libres, filant vers sa nouvelle vie avec Marie arrêtée avec nous et chez nous, revenue vivante ainsi que tous les siens. Le repas de noces eut lieu dans un restaurant chic, le Palais d'Orsay. Tout le monde évitait de parler des camps autour des tables. Mais les habits de fête n'étaient que des armures. Leurs armures. Je ne croyais pas aux mariages du dimanche, à quelques robes blanches jetées par-dessus les vêtements du Canada, je transportais sur moi ces montagnes d'habits triés là-bas, ces odeurs de chairs brûlées qui ne me quitteraient jamais. Je résistais à leur injonction de vivre.

Maman aussi s'est remariée. Elle l'a fait en cachette, sans rien nous dire. Elle nous l'a annoncé ensuite. Je ne lui en ai pas voulu. C'est plutôt la manière et l'homme qu'elle a choisi qui m'ont déplu. Il avait perdu sa femme et ses cinq enfants dans les camps, il jouait aux cartes et s'installait aux crochets de Maman. Nous ne l'aimions pas. Le pouvions-nous ? Je crois avoir fait alors des rêves étranges.

J'entrais dans leur chambre, je décrochais les tableaux, surtout le portrait de toi et celui des grands-parents. Je te faisais sortir de cette pièce où elle ne dormait plus seule. Je réalise que c'était en même temps qu'arrivait l'acte officiel de ta disparition. Année 1948. Peut-être Maman a-t-elle eu besoin de ce papier pour se remarier.

Il y est écrit : *La famille peut par simple lettre adressée au Procureur de la République demander soit un jugement déclaratif d'absence qui à l'expiration d'un délai de cinq ans peut être transformé en jugement déclaratif de décès. Soit un jugement déclaratif de décès si le disparu est de nationalité française et appartient à l'une des catégories suivantes, mobilisé, prisonnier de guerre, réfugié, déporté ou interné politique, membre des Forces françaises libres ou des Forces françaises de l'intérieur, requis du Service du travail obligatoire ou réfractaire.* Mais tu n'étais pas français. Tu avais fait bien des démarches avant guerre pour décrocher cette nationalité dont tu rêvais. En vain. Tu l'aimais ce pays, je ne suis pas sûre que c'était réciproque. Je me souviens de ta voix, de ton accent, des mots que tu écorchais, tu parlais bien et mal le français. Tu étais juif étranger, c'était ton seul titre à l'état civil. Il a donc fallu attendre cinq années supplémentaires pour que tu sois officiellement déclaré mort. Maman est devenue française puisque veuve d'un héros. Moi, j'avais rang de soldat.

Il y a ton nom sur le monument aux morts de Bollène. Il y a été inscrit bien longtemps après. C'est le maire qui l'a proposé, mais il voulait ne faire aucune distinction, que tu sois parmi les morts pour la France. Je lui ai dit que je tenais à ce qu'il soit écrit que tu avais été déporté à Auschwitz. Il m'a répondu que ça n'était pas nécessaire. Dans ce cas, je lui ai dit que je préférais que tu n'y sois pas. Il a cédé finalement. C'était il y a moins de vingt ans, juste avant de basculer vers le vingt et unième siècle, il ne voulait toujours pas de trace d'Auschwitz sur le monument du village. Tu n'es pourtant pas mort pour la France. La France t'a envoyé vers la mort. Tu t'étais trompé sur elle.

Pour le reste, tu avais vu juste. Je suis revenue.

Jacqueline m'offre des fleurs le 10 mai, comme si c'était mon anniversaire. Chaque année, ça me touche beaucoup, nous sommes proches, différentes et attentives l'une à l'autre, il ne reste que nous deux. Le 10 mai, c'est la date de ma libération par les Russes à Theresienstadt. Je suis née ce jour-là. Je sais que Jacqueline le fait pour moi mais aussi pour son père.

Mon retour est synonyme de ton absence. A tel point, que j'ai voulu l'effacer, disparaître moi aussi. J'ai sauté dans la Seine deux ans plus tard, l'année où Henri se mariait. C'était un peu après le quai Saint-Michel, j'avais enjambé le parapet, j'allais m'élancer quand un homme m'a retenue. Puis j'ai eu la tuberculose, on m'a placée dans un sanatorium chic en Suisse, à Montana. Maman venait me voir parfois. Je ne supportais pas son impatience, cette façon qu'elle avait de me réclamer d'aller bien et d'oublier. J'étais si lourde. J'ai tenté de mourir une deuxième fois.

Au camp pourtant, j'ai tout fait pour être des vivantes. Ne jamais me laisser aller à l'idée que la mort c'était la paix. Ne jamais devenir celle que j'ai vue se jeter dans les fils électriques. Elle ne fut pas la seule, c'était devenu une expression commune, aller au fil, mourir vite, électrifiée ou sous une rafale de mitraillette depuis le mirador, puis tomber dans le profond fossé creusé juste devant les barbelés. Ne jamais renoncer à la volonté de vivre, ne jamais ressembler à celles qui se laissaient aller, choisissaient la négligence, un lent détachement de leur corps, une mort plus progressive. Elles commençaient par ne plus garder d'eau au fond de leur gamelle pour se laver un peu, elles ne mangeaient plus, se retiraient, on les appelait les musulmanes, je ne sais pas pourquoi, encore un mot des Polonaises, peut-être à cause de leur couverture qu'elles posaient sur leur tête. Bientôt, plus décharnées que nous encore, elles n'étaient plus aptes au travail et partaient pour la chambre à gaz. J'ai tenu, moi. J'ai surmonté les maladies et combattu la tentation de me laisser couler. J'ai fait mon premier jeûne de kippour pour me sentir plus juive, et digne encore face au SS. J'ai développé toutes les stratégies de survie. Peut-être ai-je même commencé dans le wagon. Tu te souviens ? Nous arrivions, nous étions à bout, silencieux, c'était l'aube, le train ralentissait, je suis montée sur les épaules de quelqu'un, j'ai regardé par la lucarne, j'ai vu un groupe de femmes qui marchaient cinq par cinq, elles semblaient porter la même robe, elles avaient toutes un foulard rouge sur la tête, alors j'ai dit : « On va avoir des costumes ici. » Je plaquais les mots de la civilisation sur ce qui nous attendait, je préférais ça au mutisme qui t'avait gagné ainsi que tous les autres.

Je résistais déjà. Et quand les portes se sont ouvertes, j'ai écouté le murmure des déportés dans leurs habits rayés qui me disaient : « Donnez les enfants aux vieillards, dites que vous avez dix-huit ans. » Je venais d'en avoir seize à Drancy et j'étais plus petite que la normale. Un SS m'a fait ouvrir la bouche trois fois de suite pour voir ma dentition, et j'ai menti sur mon âge.

Pourquoi une fois revenue au monde, étais-je incapable de vivre ? C'était comme une lumière aveuglante après des mois dans le noir, c'était violent, les gens voulaient que tout ressemble à un début, ils voulaient m'arracher à mes souvenirs, ils se croyaient logiques, en phase avec le temps qui passe, la roue qui tourne, mais ils étaient fous, pas que les juifs, tout le monde ! La guerre terminée nous rongeait tous de l'intérieur.

J'aurais aimé te donner de bonnes nouvelles, te dire qu'après avoir basculé dans l'horreur, attendu vainement ton retour, nous nous sommes rétablis. Mais je ne peux pas.

Sache que notre famille n'y a pas survécu. Elle s'est disloquée. Tu avais fait des rêves trop grands pour nous tous, nous n'avons pas été à la hauteur.

Après le mariage d'Henri, nous sommes restés vivre à Paris, au deuxième étage du 52 rue Condorcet. Nous avons progressivement déserté ce château dont tu étais tombé amoureux. Il est devenu un lieu de vacances, voire de punition. Maman m'y envoyait chaque fois que je n'allais pas bien, comme pour me tremper dans le jus de ton autorité et de tes rêves qui furent probablement aussi les siens. Nous l'avons vendu en 1958.

Tu aurais dû revenir. J'ai toujours pensé qu'il eût mieux valu pour la famille que ce soit toi plutôt que moi. Ils avaient besoin d'un mari, d'un père plus que d'une sœur. C'est étrange, je sais, de raisonner ainsi. Mais depuis cette prophétie que tu as faite à Drancy, j'ai toujours pensé ta vie contre la mienne. Et c'est ce que j'ai lu dans les yeux de Michel sur le quai où il est venu me chercher avec l'oncle Charles. C'est toi qu'il attendait. A Birkenau, je te l'ai dit déjà, j'avais oublié son prénom, mais je l'associais à toi, comme une jambe ou un bras, je le voyais dans ses culottes courtes de velours sombre, traînant un bâton de bois où remuaient des petits poussins jaunes dès qu'il avançait, vous alliez, à travers les champs qui entouraient le château, il ne te lâchait pas. Ton arrestation fut pour lui une amputation. Il a dû demander après toi, on lui a probablement répondu que tu allais revenir. Mais c'est moi qu'il a vue sur le quai. Il était si petit, si frêle encore.

Très vite ensuite, il a montré des signes alarmants auxquels nous n'avons pas suffisamment prêté attention. Il n'a pas tenu longtemps en pension, il s'isolait, refusait de se laver. Alors Maman l'a retiré, confié à Henriette. On a évacué sa douleur comme mes souvenirs. Notre famille, après toi, était devenue un endroit où l'on appelait au secours mais personne, jamais, n'entendait. Jeune homme, il s'est un temps abrité derrière la pseudo-légèreté de Saint-Germain-des-Prés, mais ton absence creusait en lui. Son mal couvait et empirait. Il s'est mis à jouer avec le suicide. Il a fini par devenir maniaco-dépressif. J'ai essayé de m'occuper de lui, mais dans ses moments de crise, c'est moi qu'il visait : il dessinait des croix gammées sur ma boîte aux lettres ou bien laissait des messages sur mon répondeur, il prenait une voix de SS et aboyait « Vous prendrez le convoi 71 avec Madame Simone Veil ». Il s'était même fait tatouer SS sur l'épaule. Il jouait au bourreau pour se rapprocher de la victime, toi. Il m'en voulait de t'avoir accompagné, j'avais pris sa place, celle de l'enfant qui marche dans ton sillage. C'est en tout cas comme ça que je l'entendais. Il était malade des camps sans y être allé. Lorsqu'il a atteint l'âge de ta disparition, il a avalé des médicaments et de l'alcool, mais cette fois des doses dont on ne revient pas. Nous n'avons enfoncé sa porte qu'un mois plus tard et trouvé son corps. Nous l'avons enterré au cimetière juif de Pantin. Il avait toujours dit « je mourrai à l'âge de mon père ».

Deux ans après lui, Maman est morte. Puis Henriette, quelques semaines plus tard. Elle s'est suicidée à soixante ans. Même cocktail que Michel. Elle aussi est morte des camps sans jamais y être allée. Morte de n'avoir pas pu te parler, t'expliquer, te retrouver. Tu n'aurais jamais dû la chasser, comme tu l'as fait au début de la guerre parce qu'elle était tombée amoureuse de ce soldat dont elle était la marraine, il n'était pas juif, alors elle redoutait ta colère et l'avait épousé en cachette. Tu étais furieux, tu l'as mise dehors, tu n'aurais pas dû, comme vous n'auriez jamais dû la retirer de l'école à la naissance de Michel, pour qu'elle s'occupe de lui. Elle était si brillante. Je t'écris d'un temps où les femmes ont conquis leur place, j'aurais aimé que tu le connaisses, qu'il te bouscule, que tu écoutes et comprennes les rêves et les aspirations de tes filles, Henriette, Jacqueline et moi. Henriette était d'un grand courage. Elle avait rejoint la Résistance. J'ai su en rentrant que lorsque nous avons été arrêtés, elle avait réussi à savoir que nous serions transférés à Marseille en autocar, avant d'être envoyés à Drancy. Alors elle avait tenté de mobiliser ses réseaux pour nous faire libérer, elle voulait un assaut sur l'autobus, nous sauver et revenir parmi nous. Elle s'est séparée de son soldat après guerre, elle l'a quitté pour se faire pardonner, reconquérir une place dans la famille, mais il n'y avait plus rien à reconquérir. Plus de famille sans toi.

Si nous avions eu une tombe, un endroit où te pleurer, les choses auraient peut-être été plus simples. Si tu étais rentré, diminué, malade, pour mourir comme tant d'autres, car rentrer ne voulait pas dire survivre, nous t'aurions vu partir, nous aurions serré tes mains jusqu'à ce qu'elles soient sans force, nous t'aurions veillé nuit et jour, nous aurions écouté tes dernières pensées, tes murmures, tes adieux, ils auraient chassé à tout jamais la lettre qui me manque aujourd'hui, ils auraient apaisé Michel, rassuré Henriette, ils nous auraient fourni à tous une seule et même image de fin. Et nous t'aurions fermé les yeux en récitant le kaddish. Enfants, nous connaissions la mort et ses rites, le drapeau noir, le corbillard qui passe lentement dans la rue, nous la croisions et la respections, nous étions bien plus forts que les gens d'aujourd'hui, ils ont tellement peur d'elle, si tu savais. Mais ce n'est pas la mort qui t'a emporté. C'est un grand trou noir, dont j'ai vu le fond et la fumée. Il n'avait pas encore fini sa sale besogne. La guerre terminée, il semblait nous aspirer encore.

Michel et Henriette sont morts de ta disparition. Il leur a toujours manqué des mots qui les accompagnent, leur indiquent quelle était leur place dans cette histoire et dans ce monde. Moi j'en ai une. Je suis la survivante. Je sais où tu es mort et pourquoi. J'ai surtout des bouts de toi qui n'appartiennent qu'à moi. Tes derniers pas, tes derniers mots même si je les ai oubliés, tes derniers gestes, tes derniers baisers.

Nous avons couru tous les deux au fond du jardin ce soir-là, et le milicien nous a cueillis derrière la porte. Nous avons été transférés ensemble à la prison Sainte-Anne en

Avignon. Là-bas, tu m'embrassais, tu disais on va essayer de s'évader, tu écrivais des lettres à Maman, l'une d'elles est sortie grâce au soldat autrichien de la Wehrmacht, il avait pleuré en nous voyant arriver, je lui faisais penser à sa petite fille rousse, il t'avait dit, « Là où vous allez vous ne reviendrez pas, il faut vous évader avant ». On a pu se voir une fois dans les toilettes extérieures, je savais aussi où était ta cellule, alors lorsque j'étais de corvée de serpillière dans le couloir, je chantais fort, *O sole mio*, pour que tu m'entendes venir, et une chanson de scout aussi, *On ne voit que le ciel, on ne sent que le soleil, Au revoir, Au revoir, Nous allons chercher le vent, la route est longue dans la montagne.* Pourquoi je me rappelle encore les paroles de cette fichue propagande, et plus du tout tes derniers mots ?

Je ne t'ai jamais confié, je crois, ce que j'ai gravé alors au mur de ma cellule à Sainte-Anne. *C'est presque un bonheur de savoir à quel point on peut être malheureux.* Je ne sais pas ce qu'en ont pensé les détenus qui ont pris ma place ensuite, ceux de la guerre, comme ceux des temps de paix, s'ils étaient d'accord ou pas, s'ils comprenaient ce que ça voulait dire. Car le bonheur que j'évoquais, c'était celui d'être avec toi. Je ne savais pas encore où j'allais, l'autocar qui nous transférerait vers Marseille, le wagon troisième classe qui nous conduirait à Drancy, puis le convoi 71, au moins 1 500 personnes déportées vers Auschwitz-Birkenau, toi et moi parmi une soixantaine dans le wagon à bestiaux avec tous ces bagages qui ne serviraient à rien, moi qui, au bout d'une journée, ai crié que j'avais soif, un homme m'a giflée, « Ici tout le monde a soif alors tais-toi ! », toi qui n'as pas réagi, tu as eu raison, j'apprenais, nous avancions vers l'horreur et je devais m'y habituer. Mais je l'ai redite cette phrase, après la guerre, malgré la suite, la peur du gaz, les crématoires, les cicatrices indélébiles sur mon corps et dans ma tête, je l'ai redite, plus clairement encore : Je t'aimais tellement que j'étais heureuse d'être déportée avec toi. Et je peux la dire encore.

Car avec le temps, l'ombre des camps sur ma vie se confond avec ton absence. Et c'est d'avoir vécu sans toi qui me pèse.

Ton portrait est dans ma chambre maintenant. J'en ai hérité à la mort de Maman. C'est une photo prise dans les années trente, rien n'y laisse deviner ta taille moyenne, on ne voit que ton buste dans un costume sombre à fines rayures, tu as l'air fort. Je l'ai installé au-dessus de la commode. Sur le mur d'en face, j'ai accroché l'esquisse d'une femme nue, elle sourit alanguie, allongée, je l'ai chargée de t'aguicher. C'est pour que tu arrêtes de me regarder. Que je puisse me déshabiller tranquillement sans que tu me voies.

Je n'aime pas mon corps. C'est comme s'il portait encore la trace du premier regard d'un homme sur moi, celui d'un nazi. Jamais, je ne m'étais montrée nue avant ça, surtout dans ma nouvelle peau de jeune fille qui venait de m'imposer des seins et tout le reste, la pudeur était de rigueur dans les familles. Alors se déshabiller, pour moi, a longtemps été associé à la mort, à la haine, au regard glacé de Mengele, ce démon du camp chargé de la sélection, qui nous faisait tourner nues sur nous-mêmes au bout de sa baguette et décidait qui vivrait ou pas. Je pense être passée devant lui à l'arrivée et au départ, « C'est Mengele », disaient les autres, je ne savais pas à quoi il ressemblait, je l'ai reconnu sur les photos après la guerre, ses cheveux noirs dont pas un ne bougeait, sa casquette légèrement inclinée d'un côté, ses yeux qui vous transperçaient puis vous envoyaient à droite ou à gauche, sans que l'on sache laquelle des deux files s'en irait vers la mort. Je me pinçais les joues pour les faire rosir juste avant d'aller devant lui et son équipe de médecins SS méprisants et moqueurs qui nous jaugeaient, j'essayais de cacher mes plaies, les furoncles qui s'infectaient et pourrissaient, je voulais lui montrer un corps encore beau et fort.

Mes orteils gelés sont engourdis à tout jamais. Les infections ont laissé sur mes bras et mes jambes des cercles blanchâtres où la peau est fine et molle. Longtemps, j'ai gardé sur la nuque les traces des coups de bâtons. Et si je suis restée sèche, menue, c'est parce que j'ai souvent pensé devant ma glace, dix, vingt ou trente ans plus tard, Faut que je reste mince et svelte pour pas passer au gaz la prochaine fois.

Je n'ai jamais eu d'enfants. Je n'en ai jamais voulu. Tu me l'aurais sans doute reproché. Le corps des femmes, le mien, celui de ma mère, celui de toutes les autres dont le ventre gonfle puis se vide, a été pour moi définitivement défiguré par les camps. J'ai en horreur la chair et son élasticité. J'ai vu là-bas s'affaisser les peaux, les seins, les ventres, j'ai vu se plier, se friper les femmes, le délabrement des corps en accéléré, jusqu'au décharnement, au dégoût et jusqu'au crématoire. Je détestais notre promiscuité, l'intimité violée, la difformité, le frôlement des silhouettes en fin de course. Nous étions les miroirs les unes des autres. Les corps autour de nous étaient prémonitoires et nous nous reprochions ce que nous étions en train de devenir. Plus aucune femme ne saignait, certaines se demandaient s'ils ne mettaient pas du bromure dans notre nourriture, c'est juste que les cycles de la vie s'étaient interrompus. La maternité n'avait plus de sens, les bébés étaient les premiers envoyés au gaz. Parfois, la beauté résistait vaille que vaille, dessinant des silhouettes plus dignes que d'autres, « Vous êtes trop belle pour mourir », avait dit Stenia, la criminelle polonaise devenue sous-chef du camp, à mon amie Simone. Jusqu'au moment où l'on ne se distinguait plus les unes des autres, si ce n'est celles qui tenaient et celles qui abdiquaient. J'ai été des premières. Mais je n'avais rien à transmettre de bon à un enfant, j'ai même toujours eu du mal à accueillir ceux qui naissaient chez mon frère, ma sœur, mes amies.

Il m'a fallu bien des rencontres pour m'accommoder à l'existence, à moi-même. Et du temps pour aimer. Je me suis coulée dans d'autres époques, dans d'autres vies, dans des histoires d'amour qu'on ne raconte pas à son père, dans des combats et des révolutions censés dissoudre le passé.

Peu à peu, je me suis laissé porter par ma génération, son méli-mélo, et j'ai découvert les sensations de la jeunesse. J'ai eu envie de faire quelque chose de moi, sans trop savoir quoi, j'ai voulu me fondre dans une histoire plus vaste que la mienne, eu envie de découvrir le monde, d'apprendre, de rire un peu, de me joindre aux discussions infinies des bistrots de Saint-Germain-des-Prés. De la rue Condorcet où nous habitions, je prenais le bus 85 jusqu'au Quartier latin, plein d'étudiants, d'intellectuels mais aussi de paumés dans mon genre. J'ai senti palpiter en moi l'envie de vivre, cette chose qui me faisait chanter quand nous grelottions sous la neige de Bergen-Belsen.

J'ai tenté d'éloigner Birkenau, je n'en parlais plus jamais, je cachais mon numéro. J'étais souvent avec une amie, Dora, qui rentrait de déportation elle aussi, elle y avait perdu sa mère, sa petite sœur, elle était malheureuse, je le sentais, je savais que de toute façon le malheur était enraciné en nous.

Alors, pour me distinguer du malheur, je me distinguais de Dora. Elle était intimidée à l'idée de rentrer dans les cafés, j'en poussais la porte fièrement comme les filles ne le faisaient pas couramment à l'époque. Je nous revois au Dupont Latin, assises toutes les deux. Elle s'effaçait, je me redressais. Des garçons venaient nous parler, ils étaient légers, amusants, j'aurais plongé dans leur bouches rieuses et bavardes, j'avais soif de légèreté et de connaissance, deux mots qui résumaient Saint-Germain-des-Prés. On y croisait tout ce que la guerre n'avait pas emporté, l'antisémitisme y était fort encore, mais l'important c'était d'avoir des conversations. C'était un drôle de brassage, de bourgeois, de gens de gauche, de maquisards déchus. J'avais autour de moi une galerie d'orphelins dont j'étais proche, et en même temps, j'en avais marre des juifs, marre de cette promiscuité héritée des camps. J'avais besoin des autres.

Je ne me demandais surtout pas ce que tu aurais voulu pour moi, je craignais trop la réponse, la même que Maman probablement, un beau mariage juif et beaucoup d'enfants. Elle déchirait en criant les pantalons que je mettais comme toute jeune fille libérée, et elle me prenait à partie dès qu'il y avait du monde à la maison. J'étais incasable. J'allais vers une vie qui n'aurait probablement pas eu ton assentiment.

Je veux croire, pourtant, que tu n'aurais pas crié. Qu'après ce qu'on avait vécu, tu aurais aimé ma liberté. Mais au fond, je ne sais pas quel homme tu aurais été. J'ai le sentiment de ne pas t'avoir vraiment connu. Nous avons été séparés au moment où nous aurions commencé. Je me rappelle cette promenade dans les bois, la guerre était déjà là, tu me mettais en garde contre les garçons. J'étais sauvage déjà, et toi très strict. Nous aurions eu des explications de toute façon. Même orageuses, elles me manquent. J'aurais voulu des claquements de porte et des réconciliations. Et puis le temps passant, ces mots qu'on dit pour revisiter et panser le passé.

Si je me demande encore où j'ai bien pu perdre ta lettre, si je varie selon les jours – l'ai-je cachée dans un banc de l'étuve quand il a fallu changer de vêtements ? l'ai-je perdue à Bergen-Belsen ? à Theresienstadt ? –, si je cherche encore dans les tréfonds de ma mémoire, ces lignes manquantes tout en étant sûre que je ne les retrouverai jamais, c'est qu'elles ont fini par dessiner un recoin de ma tête, où je me glisse parfois avec ce que je n'arrive pas à partager, une page blanche où je peux te parler encore. Je sais tout l'amour qu'elles contenaient, je l'ai cherché toute ma vie ensuite.

Je ne porte plus ton nom et ça me manque. Mais je rajoute souvent, « née Rozenberg », ça veut dire rose de montagne ou montagne de roses, c'est très joli. Je porte les noms des hommes que j'ai épousés. Aucun n'était juif, ne m'en veux pas. Le premier s'appelait Francis Loridan, je l'ai rencontré alors que j'étais tombée de bicyclette sur le chemin du château, il m'a aidée à me relever et très vite nous nous sommes mariés. Il était ingénieur, rêvait de partir à l'étranger en espérant que je le suive, mais je n'avais pas envie de vivre dans ces pays colonisés où les chantiers recrutaient, pas envie d'être une épouse chez les maîtres blancs, pas envie de quitter Paris non plus. Il est parti à Madagascar, tandis que je me réparais dans le bouillon politique et culturel de Saint-Germain, j'enchaînais les petits boulots jusqu'au jour où j'ai trouvé un travail à la télévision. Je ne l'ai jamais rejoint, mais nous n'avons divorcé que bien longtemps après notre séparation, et j'ai gardé son nom car c'était devenu ma signature professionnelle. Je dois avouer que ça m'arrangeait, l'antisémitisme était encore très répandu après guerre, c'était plus facile de s'appeler Loridan que Rozenberg. Le second c'était Joris Ivens. Et je dois te parler de lui.

Joris avait trente ans de plus que moi. C'était un voyageur venu de Hollande, un poète, un artiste, un homme charpenté aux cheveux longs et blancs, on l'appelait « le Hollandais volant ». Il était né au tournant du siècle comme toi. Il avait vécu la naissance du cinéma, il en était l'un des pionniers, l'un des plus grands du documentaire, connu dans le monde entier, il avait parcouru la planète caméra à l'épaule, raconté la guerre d'Espagne, les luttes des travailleurs et la libération des peuples. C'était un homme habité, hanté par la misère humaine et constamment déchiré. Comme bien des artistes de l'entre-deux-guerres, il était devenu compagnon de route du parti communiste, en réaction à la montée des fascismes. Il souffrait de voir l'idéal changé en plomb par le système soviétique mais il ne rompait pas. Je l'ai rencontré en 1962, il m'avait vue dans un film intitulé *Chronique d'un été.* J'y apparaissais tendant un micro au hasard dans la rue, je demandais aux passants « Etes-vous heureux ? ». Puis j'y parlais de toi, des camps, de ta disparition. C'était une tout autre façon de faire du cinéma, les gens se racontaient et se dévoilaient. Dans la famille, on me l'a reproché. « N'allez pas voir le film, Marceline se montre », a décrété une tante. Joris m'a vue lui sur la pellicule, montrant mon matricule, racontant ton absence sans jamais avoir l'air triste, je crois. Mais je n'ai pas dit que j'étais heureuse. Joris qui connaissait le réalisateur lui avait confié : « Cette fille, si je la rencontre, je pourrais tomber amoureux d'elle. » C'est ce qui s'est passé. Nous ne nous sommes plus quittés.

Il savait donc mon histoire, la tienne. Nous ne l'avons que très rarement abordée, nous ne nous parlions pas beaucoup l'un de l'autre. Nous faisions en sorte de ne jamais nous blesser. Nous nous considérions comme une hydre à deux têtes, nous voyagions, nous faisions des films, nous rêvions l'avenir. Joris a écrit dans ses mémoires que nous avions en commun le désir de débarrasser la planète de ses impuretés, c'est un mot un peu fort, à la mesure de son idéalisme, mais c'est vrai. Nous étions pris par le présent et nous pensions même avoir un poids sur l'histoire. C'est une sensation unique quand on a été un Stück de Birkenau.

Mais je te parle d'un temps que tu n'as pas connu. Imagine le monde après Auschwitz. Quand la pulsion de vie succède à la pulsion de mort. Quand la liberté retrouvée contamine la planète entière et décrète de nouvelles batailles. Imagine Israël enfin créé ! J'ai tant pensé à toi, à la joie qui aurait été la tienne. Tu étais sioniste depuis toujours. Entre les deux guerres, tu versais de l'argent au Fonds national juif pour le rachat de terres en Palestine. Tu rêvais d'une nation future, tu achetais, ton frère était déjà sur place. Nous y aurais-tu emmenés si tu avais survécu ? Aurais-tu vendu le château, ton rêve devenu malédiction, et choisi de partir ? Je t'y aurais suivi. Je me suis présentée avec une amie dès 1947, dans les bureaux d'une organisation juive qui s'occupait des départs. Je voulais combattre ou aider là-bas. Ils ont dit non, nous étions mineures. Des rescapées des camps, il y en avait dejà beaucoup sur place, et j'imagine qu'ils ne savaient pas quoi en faire. Nous étions des filles ravagées.

Le monde offrait des lignes de fuite. Tandis qu'Israël naissait, l'un après l'autre les peuples des pays colonisés par les vieilles puissances européennes redressaient l'échine et réclamaient leur indépendance. Je me passionnais pour ces secousses et les discussions sans fin qu'elles entraînaient. Je me disais, puisque je ne peux rien faire pour moi, je vais faire quelque chose pour les autres. Le soulèvement des Algériens fut la grande cause de ma génération, et pour moi une mise à l'épreuve, j'ai milité, jusque dans l'illégalité, au sein des réseaux indépendantistes, jusqu'à voir la police française perquisitionner mon appartement, et j'y ai consacré un film, *Algérie année zéro*, qui fut longtemps interdit. Plus j'exigeais réparation pour eux, plus j'avais l'impression de m'acquitter de moi-même. D'avoir trouvé ma place. Ils étaient arabes et moi juive, mais ce n'était pas le problème. Je pensais qu'à travers la libération des peuples, qu'ils soient algérien, vietnamien, chinois, le problème juif se réglerait de lui-même. C'était une terrible erreur, l'avenir l'a prouvé, mais j'y croyais fermement.

J'avais pourtant dit que je me méfiais des peuples, des années plus tôt dans ma cellule de Sainte-Anne, antichambre de Drancy et Birkenau, alors que nous venions d'être arrêtés. J'avais presque seize ans et je m'affichais gaulliste, ma codétenue résistante était communiste, elle m'avait demandé pourquoi je ne l'étais pas. « Parce que je n'aime pas le peuple, c'est lui qui fait les pogroms », avais-je répondu. Je parlais comme une juive, sans savoir pourtant où l'on allait m'emmener. Je pensais probablement un peu comme toi. Je ne comprenais pas grand-chose aux discussions que j'avais pu entendre à la maison avec ton frère Herman, fier communiste parti se battre en Espagne au sein des Brigades Internationales, ou avec Bill, le frère de Maman, parti lui aussi combattre les troupes franquistes, mais je devinais l'enjeu, sauver le monde, nous sauver nous les juifs, et aussi qu'ils te reprochaient ta modération. Nous avions tous l'oreille collée sur Radio Londres qui racontait qu'on gazait les juifs dans des camions. Sache que Bill est mort en héros, il a tué l'officier allemand de la Gestapo qui l'interrogeait puis il s'est jeté par la fenêtre du quatrième étage.

Quinze ans plus tard, la question m'était posée à mon tour de l'avenir des hommes. Je n'étais pas devenue optimiste. Je tremblais dans un hall de gare. Je refusais toute salle de bains avec douche à l'hôtel. Je ne supportais pas la vue des cheminées d'usine. On le sent toute sa vie qu'on est revenu. Mais pour vivre, je n'avais pas trouvé mieux que de croire, comme mes oncles avant moi, et jusqu'à la déraison, qu'on peut changer le monde.

Avec Joris, nous avons filmé la guerre au Vietnam, là-bas j'ai eu droit au respect des guerriers pour avoir réchappé aux camps d'extermination. Et nous avons voulu croire à la révolution chinoise. Je ne sais pas ce que te disaient de la Chine les journaux d'avant-guerre que tu lisais, c'était si loin, mais Joris tournait déjà là-bas, il filmait les paysans combattant l'invasion japonaise et il y avait gardé des liens. Si bien que lorsque les communistes ont pris le contrôle du pays, il s'est senti de leur côté, espérant cette fois que l'idéal ne virerait pas au cauchemar totalitaire comme en URSS. Il m'y a emmenée. Nous y avons tourné une quinzaine de films qui ont reçu un très bel accueil dans le monde entier. Nous passions en France pour des propagandistes de ce grand démon communiste et ses millions de fourmis bleues. Nous voulions établir un pont entre l'Orient et l'Occident, nous voulions interroger cette société qui prétendait changer les rapports entre les hommes, nous tentions d'écouter les Chinois plutôt que leurs dirigeants dont nous connaissions trop bien les censures et les dérives. Vainement, nous courions après l'idée même de révolution. Nos films s'ouvraient sur des contes chinois, où il était question de déplacer les montagnes.

J'étais probablement une femme sous influence. Joris me dévorait. Mais j'avais besoin de cette dépendance, de la force et des certitudes d'un homme comme lui. Il était l'école que je n'avais pas terminée. L'amour qui me sauverait. Il était l'ailleurs. L'antidote à ton absence. Bien des fois, je n'étais pas d'accord avec lui et je le lui disais. J'aimais l'idée de révolution, mais je n'étais pas communiste, j'avais fréquenté quelques mois le parti et je l'avais fui plutôt que d'appuyer la terreur soviétique. J'ai posé le ferment du doute dans la tête de Joris. Il l'écrit dans ses mémoires. *Comment deux personnes si proches l'une de l'autre par leurs aspirations, leur révolte, leur sens de la justice, pouvaient se retrouver aussi éloignées sur des questions idéologiques ? Ce fut pour moi le moment de faire le point et d'essayer de voir ce qui était juste et ce qui ne l'était pas.* J'aime ces lignes, elles disent notre complémentarité, nos errements autant que notre sincérité.

C'est vain d'expliquer à un mort, des années, des pays, des gens, des films qu'il ne connaîtra jamais. Je me suis pourtant surprise, l'autre jour encore, à te parler à voix haute de la Chine. Je te disais, comme ça, seule dans mon appartement parisien, que certaines grandes universités de Chine ont créé des études sur le judaïsme et le Talmud. Je tissais des liens et des ressemblances entre ce peuple et le nôtre. Entre lui et moi. Je me rappelais que déjà petite, la Chine était dans mes rêves d'enfant. Qu'à l'école, on nous disait de collecter le papier argent des tablettes de chocolat pour les petits Chinois victimes de la famine, qu'après guerre j'aimais pousser la porte d'une librairie du cinquième arrondissement, pleine de livres avec des fermoirs en os, et que la première fois que là-bas, j'ai mangé des raviolis chinois, j'ai pensé aux Krepler de la maison. Je te parlais comme pour me justifier. Je ne parlais qu'à moi-même. Il y a longtemps, au mitan de ma vie sans toi, je me suis drapée d'illusions, gelée de l'intérieur pour ne plus penser à rien et fuir. Je me suis donc éloignée de toi.

Joris est mort en 1989 alors que la Chine connaissait une fronde étudiante dont il espérait beaucoup. Et la Chine ? demandait-il sur son lit d'agonie. Nous respirions avec le monde. Il est mort avec l'écrasement sanglant de la révolte. Victime d'un rêve qui avait très mal tourné. Le journal italien *La Repubblica* a écrit, « Le dernier crime de Deng Xiaoping, c'est la mort de Joris Ivens ». Son décès m'a plaquée au sol. Henri m'a dit alors : « Finalement tu avais épousé ton père. » Il a dit ton père, pas notre père. Sur le moment, j'ai été choquée. Puis j'y ai repensé. Il n'avait pas pris ta place, elle était imprenable, il n'avait pas été un protecteur, j'avais pris soin de lui, autant que lui de moi. Nous étions deux artistes, deux sauvages. Mais j'avais épousé un homme de ton âge, héritier de ce dix-neuvième siècle exalté qui croyait en un progrès mécanique et continu de l'Histoire. J'avais aimé un homme que tu aurais aimé. Joris l'avait sûrement compris lui aussi, mais sans jamais m'en parler. Et il me laissait seule à son tour sur les ruines du vingtième siècle.

Son ami, le photographe Henri Cartier-Bresson, a déroulé une pellicule photo et a écrit un message pour lui dessus. Il me l'a confiée en disant, « Tu en fais ce que tu veux ». Je ne l'ai pas lu, j'ai pensé que c'était pour Joris, je l'ai mise dans sa poche pour qu'il soit moins seul. J'y ai glissé de ma part un petit globe terrestre, ce monde que nous avions parcouru et rêvé ensemble. Puis j'ai laissé refermer son cercueil.

Ensuite, sans l'avoir vraiment décidé, je suis retournée vers toi. Ça s'est passé à l'occasion d'un festival de cinéma à Varsovie, en 1991. J'ai été invitée à aller y présenter notre dernier film, il s'appelle *Une histoire de vent*, nous l'avions tourné en sachant qu'il n'y en aurait pas d'autre après, Joris y cherche le vent, son souffle aussi, le conte dit que lorsque la terre respire, cela s'appelle le vent. D'abord j'ai refusé l'invitation, je ne voulais pas remettre les pieds en Pologne. Ils ont tellement insisté que j'ai fini par dire oui mais à condition d'aller à Auschwitz-Birkenau.

J'ai alors fait une découverte : nous étions tout près l'un de l'autre. J'ai marché de ton côté, parmi les baraquements et les dortoirs d'Auschwitz, je n'étais jamais venue, je ne savais pas dans quel bloc tu étais, je n'avais aucun repère. J'ai alors cherché l'endroit où tu m'avais glissé l'oignon et la tomate. C'était une route, mais laquelle ? Je ne l'ai pas retrouvée. Je me suis donc consacrée à Birkenau. J'en avais un souvenir très précis. J'ai vu un renard dormir dans les ruines du crématoire. Des gens du coin passer à vélo comme on prend un raccourci. J'ai ramassé, incrustés et rouillés dans le sol, un chevalet de musique qu'utilisait l'orchestre du camp et une cuillère naguère si précieuse. C'était vide. Alors tout est remonté très vite, l'odeur, les cris, les chiens, Françoise, Mala, le ciel rouge et noir à force de flammes. Puis j'ai retrouvé ma coya et je m'y suis couchée.

J'ai fait un film, dix ans plus tard, de ces moments-là, je voulais traverser le miroir, percer un passage, atteindre l'imaginaire de ceux qui n'y sont pas allés. Je ne suis pas sûre d'y être arrivée. Comment transmettre ce que nous avons nous-mêmes tant de mal à nous expliquer? J'ai demandé à l'actrice Anouk Aimée de prendre ma place, de s'allonger à son tour sur la coya, et de redire la phrase qui t'est adressée : « Je t'aimais tellement que je suis contente d'avoir été déportée avec toi. »

J'ai quatre-vingt-six ans et le double de ton âge quand tu es mort. Je suis une vieille dame aujourd'hui. Je n'ai pas peur de mourir, je ne panique pas. Je ne crois pas en Dieu, ni à quoi que ce soit après la mort. Je suis l'une des 160 qui vivent encore sur les 2 500 qui sont revenus. Nous étions 76 500 juifs de France partis pour Auschwitz-Birkenau. Six millions et demi sont morts dans les camps. Je dîne une fois par mois avec des amis survivants, nous savons rire ensemble et même du camp à notre façon. Et je retrouve aussi Simone. Je l'ai vue prendre des petites cuillères dans les cafés et les restaurants, les glisser dans son sac, elle a été ministre, une femme importante en France, une grande figure, mais elle stocke encore les petites cuillères sans valeur pour ne pas avoir à laper la mauvaise soupe de Birkenau. S'ils savaient, tous autant qu'ils sont, la permanence du camp en nous. Nous l'avons tous dans la tête et ce jusqu'à la mort.

Aujourd'hui, j'ai la gorge serrée. Je m'emporte souvent. Je ne sais pas me détacher du monde extérieur, il m'a enlevée lorsque j'avais quinze ans. C'est une mosaïque hideuse de communautés et de religions poussées à l'extrême. Et plus il s'échauffe, plus l'obscurantisme avance, plus il est question de nous, les juifs. Je sais maintenant que l'antisémitisme est une donnée fixe, qui vient par vagues avec les tempêtes du monde, les mots, les monstres et les moyens de chaque époque. Les sionistes dont tu étais l'avaient prédit, il ne disparaîtra jamais, il est trop profondément ancré dans les sociétés.

Quand le siècle a basculé, 2000 puis 2001, quelque chose de terrible est arrivé, impensable pour moi, indescriptible pour toi qui a quitté ce monde il y a si longtemps : deux avions pilotés par des terroristes ont foncé sur les deux plus hauts gratte-ciel de New York, le monde entier était devant sa télévision, les tours ont été pulvérisées, je regardais les gens se jeter par les fenêtres pour échapper aux flammes, et en moi tout se déchirait, tout se clarifiait aussi, les illusions que j'avais encore tombaient comme des peaux mortes, je ne sais si l'horreur a réveillé l'horreur, mais à compter de ce jour-là, j'ai senti combien je tenais à être juive. C'est comme si jusque-là, j'avais navigué tout autour, mais c'est finalement ce qu'il y a de plus fort en moi, être juive.

Je me sens l'héritière trompée de tes illusions, un prolongement de toi, l'enfant née de ta fuite. Tu rêvais d'Amérique, eh bien la première fois que je suis allée à New York, la ville m'aspirait, je ne voulais plus la quitter, et j'ai compris que je poursuivais ton exil. Tu rêvais d'Israël, il est là, je m'y sens bien chaque fois que j'y vais, mais ce n'est pas le pays de paix auquel nous aspirions. Israël est en guerre depuis sa création. D'ordinaire les guerres se terminent, pas celle-là, car l'Etat juif n'a jamais été accepté par les pays arabes tout autour de lui, ses contours sont flous, explosifs. Et plus ça dure, plus Israël devient suspect, y compris dans les opinions publiques européennes. J'entends résonner dans ma tête la réplique d'un film, il s'appelle *Welcome in Vienna*, il retrace notre histoire, celle des juifs d'Europe, l'un des personnages dit : « Ils ne nous pardonneront jamais le mal qu'il nous ont fait. » J'ai toujours été pour la coexistence d'Israël et d'une Palestine, mais je suis de plus en plus affectée par ce qui se passe et ce que j'entends, je ne veux pas juger, je ne vis pas là-bas, mais pas un doute ne m'atteindra tant qu'il sera question de détruire Israël. Je poursuivrai ton rêve.

Tu avais choisi la France, elle n'est pas le creuset que tu espérais. Tout se tend encore une fois, on nous appelle les juifs de France, il y a aussi les musulmans de France, nous voilà mis face à face, moi qui m'étais voulue de tous bords, en tout cas du côté de la liberté. J'ai entendu des menaces, comme des échos lointains, j'ai entendu qu'on criait « mort aux juifs » et aussi « juif, fous le camp, la France n'est pas à toi » et j'ai eu envie de me jeter par la fenêtre. Jour après jour, je perds mes convictions, mes nuances, une part de mes souvenirs, je finis par douter de mes engagements passés, je vois des policiers devant les synagogues mais je ne veux pas être quelqu'un qu'on protège !

J'ai vécu puisque tu voulais que je vive. Mais vécu comme je l'ai appris là-bas, en prenant les jours les uns après les autres. Il y en eut de beaux tout de même. T'écrire m'a fait du bien. En te parlant, je ne me console pas. Je détends juste ce qui m'enserre le cœur. Je voudrais fuir l'histoire du monde, du siècle, revenir à la mienne, celle de Shloïme et sa chère petite fille. Ainsi je retourne vers l'enfance, vers l'adolescence qu'il ne m'a pas été donné de vivre, et c'est normal à mon âge.

Il y a deux ans, j'ai demandé à Marie, la femme d'Henri : « Maintenant que la vie se termine, tu penses qu'on a bien fait de revenir des camps ? » Elle m'a répondu : « Je crois que non, on n'aurait pas dû revenir. Et toi qu'est-ce que tu en penses ? » Je n'ai pas pu lui donner tort ou raison, j'ai juste dit : « Je ne suis pas loin de penser comme toi. » Mais j'espère que si la question m'est posée à mon tour juste avant que je ne m'en aille, je saurai dire oui, ça valait le coup.

Composition :
Lumina Datamatics

Cet ouvrage a été imprimé
par la Nouvelle Imprimerie Laballery
pour le compte des éditions Grasset
en février 2015

Grasset s'engage pour
l'environnement en réduisant
l'empreinte carbone de ses livres.
Celle de cet exemplaire est de :
570 g éq. CO_2
Rendez-vous sur
www.grasset-durable.fr

N° d'édition : 18773 – N° d'impression : 502182
Première édition, dépôt légal : janvier 2015
Nouveau tirage, dépôt légal : février 2015